LE TEST

Stéphane Allix

LE TEST

Une expérience inouïe : la preuve de l'après-vie ?

Albin Michel

« Rien n'est plus illuminant
que la belle mort d'un être cher. »

Michka

Introduction

Lorsque mon père est décédé, j'ai placé quatre objets dans son cercueil. Je n'en ai parlé à personne. Puis j'ai interrogé des médiums qui disent communiquer avec les morts.

Découvriront-ils de quels objets il s'agit ?

C'est le test.

Mon père, Jean-Pierre Allix, est décédé le 16 juin 2013 à l'âge de quatre-vingt-cinq ans. Ce fut un père admirable, que j'ai aimé, et que j'aime encore. Il m'a appris à être un homme pour qui la parole et le sens de l'honneur priment sur tout. Il m'a incité à devenir une personne exigeante envers moi-même comme envers les autres, et fière de l'héritage qui est le mien. Il m'a enseigné à être curieux, à savoir faire preuve de discernement mais aussi à écouter sans juger trop rapidement. Il m'a montré par son exemple que la vie est étonnante, et que précisément cette capacité à être étonné, quel que soit son âge, est ce qui nous préserve du désespoir. Il m'a indiqué comment regarder, lire, comprendre et chercher. Il m'a fait découvrir Tolstoï, Flaubert ou Stendhal, et m'a inculqué l'importance de construire des phrases qui veuillent dire quelque chose, mais qui soient aussi *agréables* à lire. «Un texte c'est de la musique», disait-il.

En lisant ce qui va suivre vous allez mieux saisir pourquoi je pense que mon père est bien plus que le simple sujet d'une expérience particulière – ce test auquel j'ai soumis six médiums, deux hommes et quatre femmes. Il est mon *partenaire*, le personnage invisible mais central de ce livre auquel il a participé parfois avec difficulté, souvent avec émotion, et même de temps à autre avec humour.

De son vivant, nous avions parlé de la mort à plusieurs reprises – en 2001, dans un accident en Afghanistan, j'avais perdu un frère et lui un fils, le sujet était présent dans la famille. Nous avions évoqué tous les deux l'intérêt qu'il y aurait, après son départ, à essayer de faire ensemble cette recherche.

Le jour des funérailles, alors que je me trouvais seul dans la salle du funérarium, quelques minutes avant que le cercueil soit fermé et scellé, j'ai placé quatre objets ainsi qu'un mot à l'intérieur, dissimulés sous le tissu qui recouvrait sa dépouille, à l'abri des regards. Dès cet instant et jusqu'à ce que le cercueil soit fermé, je suis resté à côté, m'assurant que personne ne puisse voir ces objets cachés contre son corps. Aussi ai-je la certitude absolue d'avoir été, jusqu'à aujourd'hui, l'unique personne au courant de la présence de ces objets dans le cercueil.

En ce samedi matin du 22 juin 2013, j'ai déposé contre mon père :

– un long pinceau fin ;

– un tube de peinture acrylique blanche ;

– sa boussole ;

– une édition de poche du *Désert des Tartares* de Dino Buzzati, un de ses livres préférés ;

– un petit mot glissé dans une enveloppe couleur écrue.

J'ai pris soin de photographier chaque objet juste avant de le mettre dans le cercueil. Ensuite, je me suis adressé à mon père, regardant le *vide* au-dessus de lui plutôt que son corps. Je lui ai expliqué ce que je faisais, et que la tâche allait consister pour lui à dire à des médiums de quels objets il s'agissait. Un peu plus d'un an après, j'ai proposé à plusieurs médiums de participer à une petite expérience au sujet de laquelle je suis resté très évasif…

Science et médiumnité

Peut-on vraiment parler avec les morts ? Des femmes et des hommes le prétendent, et en font même profession. Un certain nombre d'entre eux ne sont pas des charlatans. Alors qui sont-ils ? L'objectif de ce test est de mettre à l'épreuve six médiums réputés pour leur sérieux, leur honnêteté et bien sûr leurs compétences reconnues.

En France, ils sont plus nombreux qu'on ne l'imagine à utiliser professionnellement cette capacité si particulière à *communiquer avec l'au-delà*. Des milliers de gens les consultent, peu en parlent. Quels sont les enjeux de la médiumnité ? Y a-t-il matière à enquête ? Ces capacités sont-elles réelles ? S'agit-il d'un phénomène de société que l'on pourrait réduire à une sorte d'escroquerie, inconsciente de la part de certains médiums, ou tout à fait consciente pour d'autres charlatans ? A-t-on affaire à une illusion collective ? Une forme d'autoconviction de la part de personnes incapables de surmonter la réalité d'un deuil ? Ou s'agit-il de réelles communications avec l'au-delà ? Pour ceux qui les pratiquent, est-ce un don ou une malédiction ? Un sacerdoce ou une illusion ? À travers les six rencontres que je vous propose, et les six séances de test auxquelles vous allez assister, je vais tenter de répondre à toutes ces questions, avec rigueur et objectivité.

Les médiums prétendent que les défunts sont présents à côté d'eux – ils les voient, les sentent, parlent avec eux – et qu'ils obtiennent des informations tout simplement parce qu'ils leur parlent à l'oreille ! Vous allez le découvrir après analyse, les données soutiennent que cette idée est vraisemblable : un aspect de notre personnalité ou de notre identité continuerait à exister après la mort physique sous une forme capable de communiquer avec un médium.

La vie après la mort est aujourd'hui une hypothèse rationnelle. Et ce sont les recherches scientifiques menées sur la médiumnité qui permettent de l'affirmer.

Un médium est une personne qui en se connectant à un ou plusieurs défunts obtient des informations, parfois intimes, sur une personne qu'il rencontre pour la première fois de sa vie. Et effectivement c'est là un des points les plus mystérieux de la médiumnité car, à ce jour, aucune explication ne permet de déterminer de façon *conventionnelle* comment une telle chose est possible.

Lorsque le médium se retrouve devant un client qu'il ne connaît pas, qu'il voit en général pour la première fois, il est apte à lui livrer un nombre plus ou moins important d'informations factuelles, disant les recevoir de personnes défuntes. La question est : d'où proviennent ces informations ? Des recherches sont menées depuis plusieurs décennies sur le sujet, notamment par des chercheurs comme Gary E. Schwartz[1] ou plus récemment Julie Beischel[2] du

1. Gary E. Schwartz, *The Afterlife Experiments*, Atria Books, 2002.

2. Julie Beischel, *Among Mediums. A Scientist's Quest for Answers*, Windbridge Institute, LLC, 2013.

Windbridge Institute. Ces recherches consistent à mesurer la nature des informations que sont capables d'obtenir des médiums lors de protocoles rigoureusement contrôlés.

Les possibilités conventionnelles d'obtenir des informations sur une personne que l'on ne connaît pas sont en premier lieu la fraude ou la supercherie : le médium aurait acquis des informations sur le sujet cible, ou la personne décédée, au préalable. La chercheuse Julie Beischel explique que son protocole de recherche élimine cette possibilité puisque le médium n'a que le prénom de la personne décédée durant toute la durée de l'expérience. Une autre explication conventionnelle, explique-t-elle, est la lecture à froid, lorsque le médium utilise les indications visuelles ou auditives qu'il perçoit du client afin de présenter des informations qui lui correspondent. C'est ce qu'on appelle aussi le « mentalisme ». Pour se prémunir contre cela, dans les expériences que mène Julie Beischel, la personne qui joue le rôle du client n'est pas physiquement présente dans la même pièce que le médium, et la personne qui conduit l'expérience ignore également tout du sujet ou des défunts potentiels. Dernière explication possible : l'information fournie par le médium serait si générale qu'elle pourrait s'appliquer à tout le monde. Pour éliminer cette dernière possibilité, Julie Beischel demande au médium de répondre à quatre questions spécifiques sur la personne décédée : description physique, personnalité, passe-temps ou activités et cause de la mort.

Les résultats obtenus lors de très nombreuses expérimentations successives permettent d'écarter définitivement les explications conventionnelles telles que la fraude, le questionnement directif ou la suggestibilité. Avec ces protocoles, les chercheurs comme Julie Beischel ou Gary Schwartz ont éliminé toutes les explications conventionnelles.

Alors comment les médiums obtiennent-ils des informations sur des vivants et des défunts dont ils ignorent tout ? Les chercheurs se retrouvent face à deux hypothèses permettant de rendre compte des résultats obtenus : soit les médiums communiquent vraiment avec les défunts, soit il s'agit d'une forme de télépathie, et cette explication est déjà en soi assez extraordinaire. Selon cette dernière hypothèse, le médium serait capable de *lire* dans l'esprit de la personne qui vient le consulter. Il ne parlerait pas à un esprit mais obtiendrait des informations en allant les *piocher* dans la tête de la personne en face de lui, qui, elle, les connaît.

Toutefois, il ressort que cette forme de télépathie est un acte passif : dans ce cas de figure le médium reçoit des images, des *flashs*, or dans les communications avec des défunts les médiums parlent de véritables conversations interactives. Plus déterminant encore, dans bien des cas les informations livrées par le médium sont inconnues de la personne qui se prête à l'expérience en tant que client. Comme Gary Schwartz le précise : « Souvent, nous obtenons des personnes que le sujet connaît mais n'attendait pas. D'autres fois, nous obtenons des informations dont le sujet pense qu'elles sont fausses, ou ignore, et dont on constate la véracité plus tard. »

Voilà un élément très troublant, car un flash télépathique ne contredit pas ce que pense la personne dans l'esprit de laquelle le médium est venu le puiser. Par ailleurs, comme le souligne Julie Beischel, les lectures psychiques font partie de la pratique de nombreux médiums. Ils parviennent très bien, disent-ils, à faire la distinction entre télépathie et communication avec une personne décédée : le ressenti lié à chacune des situations est différent. C'est une chose dont ils ont en outre fait l'expérience depuis l'enfance. Nous allons le voir en détail.

Ainsi, l'approche scientifique de la médiumnité permet de conclure, pour reprendre les mots de Julie Beischel, que « la réception d'informations anormale est un fait mais nous ne pouvons pas déterminer d'où elle provient. Les données soutiennent l'idée de la survie de la conscience, d'une vie après la mort. Un aspect de notre personnalité ou de notre identité continue à exister après la mort physique sous une forme capable de communiquer avec un médium. Les données appuient également d'autres hypothèses sans rapport avec la survie de la conscience : la clairvoyance, la télépathie ou la précognition permettraient aux médiums d'obtenir des informations sans pour autant communiquer avec les morts. Cependant, maintenant que nous avons commencé à travailler sur l'expérience des médiums, nous avons tendance à penser que la survie de la conscience est l'explication la plus appuyée par les données ».

En vertu de toutes ces recherches effectuées, et de celles que j'ai moi-même menées durant ces dernières années[1], la vie après la mort est à mes yeux aujourd'hui plus qu'une hypothèse solide. Voilà plus de dix ans que j'enquête à travers le monde, rencontrant des chercheurs, des médecins, des hommes, des femmes et des enfants vivant des expériences incroyables de contacts avec des défunts. Je travaille et côtoie des médiums depuis des années. Tout ce temps je suis resté

1. Stéphane Allix, *La mort n'est pas une terre étrangère*, Albin Michel, 2011, J'ai Lu, 2014 ; *Enquêtes extraordinaires*, saisons 1 et 2, *Les Signes de l'au-delà* et *Ils communiquent avec les morts*, documentaires réalisés par Natacha Calestrémé *et al.*, DVD, Éd. Montparnasse, 2011 et 2014.

dans mon rôle de journaliste rigoureux et objectif. Et c'est précisément cette posture qui me conduit aujourd'hui à reconnaître l'évidence : la mort n'est pas la fin de la vie.

Aussi, avec ce livre j'entends contribuer au débat en y apportant les résultats indiscutables que vous allez découvrir dans les pages qui suivent. Mais au-delà de vouloir simplement *prouver* que la vie se poursuit après la mort, j'ai souhaité explorer comment s'établit cette communication entre deux mondes. *Entre les vivants et les morts*. J'ai questionné les médiums, sans relâche : que devient-on après que son corps s'est évaporé en poussière ? Qu'arrive-t-il à notre individu après la mort ? Parce que l'on continue à être, de cela aujourd'hui je suis certain, je le redis. Mais à être quoi ? Exactement la même personne que du temps de notre vie sur terre ? Ou notre individualité évolue-t-elle ? Que se passe-t-il dans les premières semaines qui suivent notre décès ? Où va-t-on ? Qui rencontre-t-on ?

Qui est l'être qu'est devenu mon père après sa mort et qui a communiqué avec moi ?

Je vous invite à découvrir ce que des mois d'enquête m'ont permis de comprendre. C'est vertigineux. Chacun des six chapitres à venir est consacré au portrait d'une ou d'un médium et présente en intégralité la séance test menée avec elle ou lui. Jamais je ne suis allé aussi loin dans des entretiens. Ils jettent une lumière sans pareille sur la fin de vie, la mort, la vie après, et la communication avec les défunts. Dans un dernier chapitre, le psychiatre Christophe Fauré, spécialiste dans l'accompagnement des personnes en fin de vie, évoque la spécificité du parcours de deuil et nous propose des conseils bienveillants autour de la mort et de la médiumnité.

Écrire ce livre a changé ma vie. Peut-être changera-t-il la vôtre.

Henry

J'appréhende beaucoup cette séance. Je connais Henry Vignaud depuis des années, et une vraie amitié nous lie. Je l'ai rencontré pour la première fois en novembre 2006, pour le tester, déjà, avec une photo de mon frère Thomas décédé en Afghanistan cinq ans auparavant. Le résultat de cette première séance fut impressionnant[1]. Il ignorait tout de moi, et à n'en pas douter ce jour-là Henry a communiqué avec mon frère.

Des doutes pourtant, j'en avais en pagaille. Je suis sorti du petit appartement où il m'avait reçu, partagé entre la stupeur et la résistance. Stupeur de constater qu'il m'avait donné un nombre incroyable de détails très précis sur mon frère, sa vie, son caractère, les circonstances particulières de sa mort, etc., détails qu'il n'avait pu en toute objectivité obtenir que d'une seule personne : mon frère lui-même, décédé cinq ans auparavant ! Et résistance car ce que l'évidence m'imposait – mon frère m'avait parlé *après sa mort* –, mon esprit n'était pas encore prêt à l'accepter.

Cette résistance est tenace, et s'accroche au moindre

1. Stéphane Allix, *La mort n'est pas une terre étrangère*, *op. cit.*

doute, à la moindre occasion qui lui est offerte. En ce jour de novembre 2006, ce qui me gênait par exemple, c'est qu'à aucun moment Henry n'avait dit que mon frère s'appelait Thomas. Il avait décrit précisément la manière dont il était mort dans un accident de voiture, sa blessure à la tête, le lieu dans lequel cela s'était produit, mais il n'avait pas dit son nom. Voilà qui semblait paradoxal. Pourquoi, alors qu'Henry prétendait que mon frère se trouvait avec nous dans la pièce, ne disait-il pas simplement à mon intention : « Eh, au fait, dis-lui que je m'appelle Thomas » ? Cela me semblait incompréhensible, illogique et ce simple fait amoindrissait cette réalité parfaitement inexpliquée : Henry m'avait donné de très nombreuses *autres informations exactes*.

J'ai découvert depuis la raison de cette apparente contradiction. Et c'est l'un des éléments qu'il me tient à cœur d'explorer avec les six médiums qui ont accepté de se soumettre au test que je leur ai proposé. Très sommairement – ce point est capital, nous y reviendrons tout au long de cet ouvrage –, la partie du cerveau des médiums qui *perçoit* les mots, les images, les informations de la part des défunts n'est pas la même que la partie du cerveau qui *verbalise* ces informations à la personne vivante venue consulter. La chercheuse Julie Beischel me l'a expliqué lors d'un entretien que j'ai eu avec elle à Tucson, en Arizona, voilà quelques années : « Les noms et les dates posent problème à de nombreux médiums. Je pense que c'est parce que ces informations dépendent du cerveau gauche. Un nom est une étiquette, or les chiffres et les étiquettes sont traitées par l'hémisphère gauche du cerveau. Nous pensons que la médiumnité est un processus qui passe principalement par le cerveau droit. Les éléments normalement filtrés par notre cerveau gauche sont donc plus difficiles à percevoir et à interpréter. » On peut faire un parallèle avec les premières secondes du réveil. À cet instant, il se peut que vous ayez encore en tête le dernier rêve que vous venez de faire. Il est là, vous le sentez, son souvenir est inscrit en vous, avec sa puissance, ses évocations. Mais vous faites un mouvement dans le lit, et avant même que vous ne vous leviez, voilà qu'il s'étiole. Lorsque vous essayez de le noter par écrit, ou de le raconter à votre conjoint, très curieusement les mots que vous employez *détruisent* une partie du rêve. En le racontant ou le couchant par écrit, vous le réduisez à des mots. Il se recompose. Il devient presque autre chose. En fait, vous venez de passer du cerveau droit, qui rêve, au cerveau gauche, qui essaye de décrire le rêve. Et ça « coince ». Pourtant vous conservez la sensation diffuse de fragments du rêve : il y avait plus de… un point vous échappe… cette couleur était… comment dire ? Non, malgré vos efforts, vous ne parvenez pas à trouver les mots. Avez-vous déjà vécu cela ? Eh bien pour un médium, comme nous allons nous en rendre compte, c'est un peu pareil : il doit lors d'une séance à la fois demeurer dans le rêve, cet espace subtil de perceptions fragiles où il est en contact avec les défunts, et vous le raconter avec des mots. La capacité à faire ce va-et-vient permanent sans altérer ses perceptions est le secret d'un bon médium.

Tandis que je roule dans Paris vers le quartier où habite Henry, je me demande de quelle manière notre amitié pourrait impacter cet entretien. La confiance que nous avons mutuellement l'un envers l'autre va-t-elle rendre le test moins stressant pour lui ou, à l'inverse, l'enjeu de l'expérience va-t-il le paralyser ? Le stress est un facteur important dès qu'un individu doit se brancher sur ses perceptions subtiles – car par définition elles sont subtiles, et très fragiles. Ces perceptions délicates dont on pourrait supposer qu'elles sont apparentées à l'intuition ou au sixième sens sont immédiatement affectées par la moindre des émotions. Et le stress, la peur de *ne pas réussir*, est une énorme émotion. Aucun des médiums qui participent à ce test ne va être épargné sur ce point.

Malgré notre longue relation, Henry n'a jamais rencontré mon père, et dans l'hypothèse où il aurait été informé de son décès plus d'un an auparavant, il ne sait rien d'autre. Rien des circonstances de son décès, et évidemment rien de l'expérience que j'ai entreprise dans le secret du funérarium où le cercueil a été scellé. Mais curieusement, à aucun moment Henry ne va mentionner que c'est avec mon père qu'il va établir le contact, pourtant, vous allez le voir, c'est bien lui qui va venir…

Comme d'habitude, je suis parti en avance, craignant d'avoir du mal à me garer. Je me dirige vers le 13e arrondissement de Paris, au nord de la place d'Italie. Et comme d'habitude je trouve une place rapidement, à quelques minutes de marche de chez Henry. Je suis impatient. En attendant l'heure du rendez-vous, je reste assis derrière le volant, au chaud, et comme je le fais depuis plusieurs jours, j'en profite pour m'adresser à haute voix à mon père, et à tous les autres défunts de ma famille qui seraient susceptibles de m'entendre dans le monde invisible. Je leur demande de l'aide. De l'aide pour ce livre. De l'aide pour papa, afin qu'il parvienne à dire à Henry ce que j'ai mis dans son cercueil. Tout en parlant à haute voix dans ma voiture, je me fais soudain la réflexion que pour l'un des objets – le livre de Dino Buzzati, *Le Désert des Tartares* – il va être quasiment impossible à un médium de *comprendre* le titre, même si papa le lui donne, quand déjà un simple prénom est si difficile à obtenir. Un des six médiums parviendra-t-il seulement à citer ce roman ? Les autres objets sont plus simples en apparence, mais ce livre ? Je suis encore loin de m'imaginer qu'il va se produire dans un peu plus d'une heure, en pleine séance, une synchronicité extraordinaire quand mon père va *trouver* la solution…

Je pénètre dans un appartement aux rideaux tirés. Henry est souriant, joyeux, comme à son habitude. Un homme d'un abord toujours heureux, même quand la vie le taquine. Il a bonne mine, et me fait signe d'entrer dans son salon qui lui sert de lieu de consultation. Une pièce simple, une petite table placée de guingois par rapport à l'angle du mur, une odeur de cigarette. Je sens d'emblée qu'il appréhende aussi ce moment. Il m'apprend qu'il n'a pas fait de consultation depuis longtemps. Entre obligations familiales et une vilaine bronchite, il va réaliser avec moi sa première séance depuis plusieurs semaines. Aïe ! Est-ce que ça rouille un médium quand ça ne sert pas ?

Il fait déjà sombre mais voilà qu'il ferme les volets, plongeant la pièce dans la pénombre. Henry aime être dans le noir pour travailler. Au début, je ne lui donne aucune indication ni de photo, afin de voir qui apparaîtrait spontanément. Quels sont les défunts autour de moi qui désireraient s'exprimer ?

Henry s'assied derrière sa petite table encombrée de papiers divers, d'images pieuses, d'une petite icône dorée représentant le Padre Pio, d'un cendrier, et se cache le visage entre les mains pour faire le vide. Je suis assis face à lui, concentré, et dans l'attente. Les minutes s'égrènent dans un silence seulement ponctué de quelques quintes de toux. Bronchite et cigarette ne font pas bon ménage. Je me demande comment il peut se concentrer en toussant de la sorte. Et puis cela arrive doucement.

– Tu allumes souvent des bougies ? me demande-t-il.

Je trouve amusant qu'il me pose une telle question parce que précisément le matin même, avant de venir à notre rendez-vous, j'en ai allumé une – ce que je ne fais jamais. Devant la flamme, je me suis adressé à papa. Pour ma femme Natacha en revanche, offrir une prière silencieuse à ses proches en allumant une bougie est un geste quasi quotidien.

– Moi non, mais Natacha le fait souvent.

– Il y a des remerciements spirituels pour des bougies allumées régulièrement pour plusieurs défunts, toi ou Natacha c'est pareil.

– En fait je l'ai fait ce matin avant de venir…

– Il y a des remerciements pour cette lumière… ça fait un petit moment que je vois ça, même tout à l'heure avant de commencer.

Après ce préambule, de nouveau le silence s'installe. Henry se concentre, le visage dans les mains.

– Je sens la présence diffuse du visage d'un défunt, quelqu'un qui portait une barbe, une sorte de bouc, comme on en portait pas mal à une époque…

– Ça ne m'évoque rien.

Tout en disant cela, comme Henry se réfère à une époque lointaine, je pense soudain à mon arrière-grand-père, Georges, qui portait bouc et moustache. Mais je n'en dis rien car sans plus de précisions de sa part, la phrase d'Henry est trop vague. À nouveau du temps s'écoule.

– Paul, ça te dit quelque chose, ou Jean-Paul ?

– Oui.

– C'est Paul ou Jean-Paul ? J'ai entendu Paul mais ça peut être Jean-Paul.

– C'est Paul.

– Décédé ? Parce qu'il est là-haut…

– Oui.

– Il essaye de me montrer des appareils, on dirait des appareils de chirurgie, de bloc opératoire, oui, c'est ça, soit cette personne a subi une intervention chirurgicale, soit cette opération a eu des conséquences sur son départ terrestre… en tout cas il s'est fait opérer avant de partir… une opération était nécessaire et il est parti juste après. Ça ne te dit rien ?

L'un des épisodes les plus douloureux pour Lise, la mère de mon père, fut la mort de son grand frère Paul. Il fut en réalité porté disparu à l'âge de trente et un ans, le 18 février 1915, pendant les violents combats qui eurent lieu dans le hameau de Beauséjour, en Champagne-Ardenne. Les villages de cette région de la Marne furent entièrement détruits, mais seul le hameau ne fut jamais reconstruit. Le souvenir de la disparition de Paul marque ma famille depuis lors.

Comment peut-on *disparaître* sur un champ de bataille ? Je n'ose imaginer ce que cela signifie. Nous ignorons tout des circonstances précises de sa mort. Porté disparu signifie que l'on n'a pas retrouvé trace de sa dépouille, il est donc peu probable qu'il ait été blessé, qu'il ait subi une opération chirurgicale et qu'il soit décédé durant l'opération. Pourquoi aurait-il été porté disparu ensuite ? Dans le doute, je reste évasif et ne précise rien de tout cela à Henry. Il poursuit et c'est là que cela devient troublant.

– Cet homme est là, je le vois. Il semblerait qu'il avait des problèmes à l'estomac. Est-ce que tu le sais ?

– Je ne sais pas. Tu parles de Paul ?

– Il me semble… Ah non, attends. Quelqu'un d'autre a eu des graves problèmes à l'estomac et a été opéré. Ce n'est pas Paul…

Il semblerait que plusieurs personnes se manifestent et que les éléments captés par Henry se superposent. Je suis frappé par l'apparition de ce Paul, personnage dont la disparition dans notre famille bouleversa ma grand-mère, mais plus encore par la mention d'un homme ayant eu des problèmes au ventre et dont l'opération conduisit à la mort. Car c'est précisément ce dont souffrait mon père !

Il avait un problème à l'estomac, de l'ascite, c'est-à-dire que son ventre gonflait énormément, se remplissant d'eau. Durant les derniers mois de sa vie, il subit plusieurs ponctions à l'hôpital. À l'aide d'une grande aiguille on lui enlevait plusieurs litres d'eau. La veille de sa mort, une ultime ponction sur un corps déjà profondément affaibli lui enleva ses dernières forces et il sombra dans l'inconscience, pour décéder le lendemain. Cet homme qui apparaît en même temps que Paul, et qui « a eu de graves problèmes à l'estomac » et « s'est fait opérer avant de partir », opération qui « a eu des conséquences sur son départ terrestre »… c'est si précisément mon père ! Et Paul était son oncle.

D'ailleurs, Henry revient à Paul, avec une nouvelle information, là encore singulière.

– Paul était très triste avant de partir, je vois les yeux brillants… Il y a la lettre F qui apparaît… un prénom, un nom ?

Être triste de partir, rien d'original, mais la lettre F ! Paul s'appelait Lafitte. Est-ce moi qui assemble trop vite des morceaux entre eux ? Voilà tout de même coup sur coup plusieurs éléments qui s'ajustent très précisément : Paul F, pour Paul Lafitte, ce monsieur parti juste après une opération au ventre, ce qui est précisément arrivé à mon père, qui était le neveu de Paul. Je reste silencieux, et garde pour l'instant tout cela pour moi.

La séance se poursuit, avec à nouveau de longs silences.

Comme je ne l'oriente nulle part, j'ai l'impression qu'Henry capte quantité d'images furtives : il me voit par exemple enfant, montant très vite des escaliers, or lorsque j'étais enfant, nous habitions au cinquième étage d'un immeuble de la rue Gay-Lussac, à Paris, que je grimpais en courant. Il décrit assez justement mon caractère d'alors. Je lui demande de formuler tout ce qui lui vient à l'esprit, sans lui fournir de précisions.

– Est-ce que tu as gardé chez toi une balle de revolver, ou de fusil ? me demande-t-il soudain.

– Oui.

– Parce qu'on me la montre du bout des doigts, je ne sais pas pourquoi…

J'ai chez moi plusieurs balles de kalachnikov rapportées de mes voyages en Afghanistan, balles dont j'avais vidé la poudre. Mais qu'est-ce que ça vient faire là ? J'ai la sensation que du côté des défunts, c'est un peu l'agitation : on cherche à me faire passer des éléments qui seraient évocateurs, et qui concernent différentes époques, ou différentes personnes de ma famille, mais tout arrive de manière un peu frénétique et désordonnée. Si j'aidais Henry, cela lui permettrait sans doute de se concentrer davantage sur telle ou telle personne de l'autre côté, sur tel ou tel élément, mais dans un premier temps je veux encore observer ce qui se produit quand le médium capte tout, sans aucun ciblage sur un défunt en particulier.

C'est cela qui est particulier dans une séance de médiumnité, et qui peut parfois être un moyen pour le médium de prétendre communiquer avec des défunts alors qu'il est en train de formuler les unes après les autres des banalités vagues : c'est nous-mêmes qui allons donner du sens à des choses qui n'en ont pas. Je suis très attentif à ce point, mais bien conscient dans le même temps que le fait de rester silencieux rend à Henry la tâche plus ardue, même si cela préserve une nécessaire objectivité. Pourtant, cet homme avec un problème au ventre est mon père, j'en suis convaincu, comme je suis conscient également que n'en ayant pas confirmation de ma part, Henry n'a pas « accroché » cette âme, ne s'est pas focalisé sur elle, et continue de laisser son esprit vagabonder dans le monde subtil.

– Dans la famille, à une époque, il n'y a pas quelqu'un qui a eu un serpent ? C'est bizarre…

– Oui, moi.

J'adorais ces animaux et en avais possédé un dans un vivarium, mais mon frère Thomas, décédé en avril 2001, était aussi un grand fan de serpents et en avait également accueilli plusieurs dans sa chambre.

– Toi ? s'étonne Henry. Je vois un serpent qui bouge devant moi… tu as eu un serpent ?

– Oui, mon frère aussi d'ailleurs.

– Ah… c'est curieux, j'ai vu ce serpent devant moi, rampant sur la table…

Cela se confirme, Henry n'est pas en difficulté, il capte des choses. Il faut se figurer qu'il est en train d'observer une foule un peu évanescente devant lui – une foule invisible pour moi – dont toutes les personnes lui font signe en même temps. Mon père est au milieu de cette foule et il apparaît que tant que nous travaillerons en aveugle, il ne sera pas en mesure de se faire davantage remarquer d'Henry parmi les autres esprits. Oui, Henry a devant ses *yeux de l'âme* une foule indistincte d'esprits. Je lui complique vraiment la tâche en restant silencieux.

Nous sommes amis, il connaît mon histoire et a donc par le passé plusieurs fois capté mon frère avec une précision remarquable. Aussi n'ai-je aucun doute sur ses capacités. Malgré tout, cette consultation génère en lui une certaine appréhension, et cela ne doit pas aider à ce qu'il soit totalement détendu. En outre, comme il connaît les détails de la mort de mon frère, je sens que même s'il perçoit Thomas parmi cette foule, il ne m'en parle pas, et s'autocensure d'une certaine manière.

Passons à la deuxième étape, je ne voudrais pas non plus qu'il s'épuise dans cet exercice en aveugle sans lui avoir donné une chance de montrer à nouveau ce dont il est capable. Je sors la photo de mon père et la pose sur la table sans lui dire de qui il s'agit. Instantanément, j'observe l'effet que provoque la présence de cette image – que pourtant Henry regarde à peine deux secondes, avant de la prendre et la placer sur son front, les yeux toujours fermés. C'est comme si soudain au milieu de ce grand maelstrom de forces invisibles venait de se créer une connexion instantanée entre l'homme sur la photo, présent autour de nous parmi tant d'autres depuis tout à l'heure, et Henry. Une liaison directe, débarrassée de tout ce parasitage provoqué par la présence des autres défunts alentour. Autant d'êtres singuliers, avec leurs demandes, leurs images, leurs sensations propres...

Mon père va-t-il parvenir à plus clairement s'exprimer ? À dire à Henry ce que j'attends ?

Comment devient-on médium ? Lorsqu'on lui pose la question, Henry Vignaud évoque toujours son plus lointain souvenir. Il a sept ans lorsqu'il voit pour la première fois un pendu dans l'une des pièces de la maison où il habite. Une scène qu'il est le seul de la famille à voir. Depuis sa chambre, il aperçoit très distinctement la forme d'un homme, pendu à une corde. Cette vision devenant de plus en plus fréquente, ses parents en sont intrigués (ce n'est que longtemps après qu'ils auront la stupeur de découvrir que l'ancien propriétaire s'était pendu à l'endroit précis où Henry le voyait).

Henry a cette vision pendant des années, jusqu'à ce que la famille déménage. Quand on lui demande de la décrire, il évoque plus une image figée que quelque chose de vivant. Bien plus tard il découvrira qu'il ne s'agissait pas d'un esprit, mais d'une mémoire de ce qui s'était produit dans la maison. Comme un enregistrement, un bout de film qui se répétait inlassablement. Pourquoi le captait-il ? Il n'en a aucune idée, mais explique que les morts tragiques comme celle de cet homme sont accompagnées de fortes douleurs et sans doute est-ce cela qui marque un lieu de cette empreinte. L'empreinte de quelqu'un de vraiment présent aux yeux du jeune enfant qu'il est alors : un homme, la tête baissée, pendu au bout d'une corde. Même si elle est assez récurrente, il ne voit pas cette image tous les jours fort heureusement. Lorsque ça se produit, il se calfeutre sous les couvertures et regarde tout de même par un tout petit trou dans les draps. Il a tellement peur au début. Et puis avec le temps, d'une certaine manière, il s'habitue, si tant est qu'on puisse s'habituer à cela.

À ce pendu énigmatique et silencieux s'ajoutent progressivement des visions plus *vivantes*. Avec les années, les phénomènes inexpliqués se multiplient. Henry sent des choses venir vers lui, apparaître dans sa chambre. Il parle de volutes de fumée, de matérialisations plus ou moins denses de visages inconnus. Ces visages surgissent devant ses yeux, apparaissant parfois dans un décor, un paysage qui semble lié à leur existence. À la différence du pendu, Henry a alors la sensation qu'ils sont complètement vivants et lui montrent des scènes de leur vie. Il n'entend pas particulièrement de voix, mais a la sensation de devenir une sorte d'aimant pour ces êtres.

Malgré son âge, Henry se dit qu'il s'agit d'esprits, de personnages qui viennent le voir. Avec le recul, aujourd'hui il pense qu'ils apparaissaient à dessein dans le but de favoriser son éveil à cette conscience-là. Car depuis sa naissance, Henry fait montre d'une certaine forme de sensibilité, et dans ses années d'enfance c'est une porte qui s'ouvre en lui vers une dimension inconnue.

Il vit ces années comme une préparation spirituelle. Une préparation dirigée et voulue, car ceux qui viennent ne sont pas du tout des esprits de sa famille apparaissant de manière un peu parasite, avec des demandes précises. Non, Henry a alors affaire à des esprits totalement inconnus, semblant animés d'un dessein bien particulier.

Il a la chance de pouvoir en parler librement à ses sœurs et à sa mère dans un premier temps, puis à d'autres proches et même à ses copains d'école. Même si l'accueil est parfois bien différent suivant les personnes. Avant de se confronter au regard et au jugement des autres, ce qu'il vivait lui paraissait normal, il croyait que tout le monde voyait ce qu'il voyait. Mais les premières moqueries, les remarques acerbes lui font se demander si quelque chose ne tourne pas rond chez lui. Pourtant, malgré ces jugements parfois sans nuance, Henry ressent tout au fond de lui qu'il vit des choses réelles. Il est un enfant équilibré et sain d'esprit.

Alors que dans les premiers temps il arrive que ces expériences lui fassent peur, il réalise que jamais il n'a le sentiment d'être agressé. Progressivement il devient familier de l'existence de ces autres dimensions. Cette réalité s'impose naturellement à lui, dans l'intimité du petit village où il habite, loin de tout, sans accès au moindre livre sur ces sujets. Quant à la télé, elle n'en parle pas. Plus que la peur ou le doute, c'est davantage ceci qui est difficile pour lui : n'avoir accès à aucune information. Il subit ces phénomènes sans savoir de quoi il s'agit. Une seule certitude : c'est vivant, et réel.

Henry entre dans l'adolescence en traversant parfois des moments très intenses. Ces expériences peuvent se produire tous les jours, voire plusieurs fois par nuit, mais il peut s'écouler quinze jours, voire trois semaines, sans qu'il se passe rien. Avec l'adolescence apparaissent des sortes de flashs. Il capte un événement, quelque chose que confirme la personne se trouvant en face de lui – des membres de sa famille, ou des copains à l'école. Il perçoit également des faits qui vont se produire. À l'école, on commence à l'appeler le Sorcier. Toutefois, comprendre qu'il est seul à vivre de telles choses ne le fait pas douter pour autant. Il ne se pose plus la question de savoir si son imaginaire lui joue des tours. Non, c'est trop envahissant, trop réel, trop vivant pour cela. Et puis ses parents ayant enfin découvert qu'un homme s'était réellement pendu dans leur maison, à l'endroit où Henry le voyait, il y trouve la confirmation que ses ressentis ne sont pas le fruit de son imagination.

Henry évoque avec beaucoup de bienveillance la manière dont ces apparitions l'ont formé. La compréhension intuitive qu'il se forge de ces phénomènes et du rôle qu'ils jouent dans son éveil contribuent à le rendre de plus en plus confiant : *une volonté extérieure intervient.*

Durant toute son enfance, Henry est habité d'une sorte de confiance. Il sait que ses visions lui ouvrent une autre dimension, mais c'est une véritable initiation qui commence lorsque à l'adolescence débutent ses expériences de sortie hors du corps. En effet, dès l'âge de seize ans, il expérimente des prémices de *décorporation*.

Comme beaucoup des phénomènes paranormaux qu'Henry vit encore aujourd'hui, ces nouvelles expériences se produisent dans les minutes qui suivent le moment du coucher. Les premières fois, il s'en souvient, il a la sensation que le bas de son corps se soulève – pas ses jambes physiques, mais un *autre corps* –, alors que le haut, lui, ne bouge pas. À d'autres reprises, c'était le haut du corps qui se soulevait, prêt à partir, mais le bas ne bougeait pas. Il a alors envie de partir de son corps, il ressent un élan d'énergie et comprend qu'il se passe quelque chose, mais finalement rien ne se produit. Cela dure des mois et des mois, et puis un jour, subitement, le voilà qui se retrouve à quatre pattes à côté de son lit. Rien d'étonnant à cela, jusqu'à ce qu'il constate que son corps est toujours dans le lit alors que *lui* est à quatre pattes à côté. Surpris, il prend peur et se retrouve immédiatement dans son corps physique. Une autre fois, il se voit s'asseoir sur le rebord de son lit, se lever, et lorsqu'il veut allumer la lumière, sa main passe à travers l'interrupteur et le mur. C'est son corps astral qui vient de se lever, sans qu'il s'en rende compte. En se retournant il voit son corps physique et en éprouve une sensation bizarre. Là encore la peur l'emporte.

Des mois entiers sont nécessaires pour que lentement il se familiarise avec ces expériences. Sans que ce soit d'ailleurs une volonté de sa part – il ne cherche pas à sortir de son corps –, ces expériences se produisent, c'est tout. Et toujours cette subtile intuition qui l'habite depuis l'enfance de subir une sorte d'entraînement. Quand à force d'essais la peur devient plus maîtrisable, il découvre qu'à l'instant où les sensations physiques caractéristiques du début de l'expérience se manifestent, *on* l'appelle. Une voix mystérieuse lui murmure : « Viens. » Celle de son guide – ce qu'il ne comprendra que bien plus tard.

Rassuré par ce qu'il ressent être de belles forces spirituelles protectrices, il se laisse alors *partir*. Guidé par une voix bienveillante, il multiplie bientôt les voyages hors de son corps – corps qui reste bien sagement dans son lit pendant ce temps. Malgré la fréquence de plus en plus importante de ses voyages astraux, jamais Henry n'est capable de décider d'aller à un endroit précis – voir sa mère par exemple. Lorsqu'il se retrouve à l'extérieur de son corps, sa volonté est bloquée et *on* lui montre des choses.

Pourrait-il s'agir de rêves dans la mesure où ses expériences se produisent lorsqu'il est au lit ? La plupart du temps en effet, il est allongé, mais la netteté et la force de ces expériences lui ôtent tout doute : cela n'a rien à voir avec un rêve. Cette confiance l'habitait déjà avant même que de telles expériences ne se mettent à se produire en plein jour. Comme cette fois où, devenu adulte, il sort de son corps… au supermarché.

Tandis qu'il fait des courses avec des amis, dont la médium Nicole Leprince, soudainement, alors qu'il pousse son caddie à travers les rayons, cherchant de quoi réaliser un bon dîner, Henry commence à se sentir bizarre, vraiment bizarre. Il s'arrête afin d'être plus attentif à ses perceptions. Peut-être capte-t-il une énergie propre au lieu où il se trouve, ou celle de quelqu'un alentour, voire d'un esprit – devenu jeune adulte, il s'est habitué à ce type de perceptions spontanées ; il a encore du mal à les décrire, ce serait comme une énergie autour de lui –, toujours est-il que ce jour-là il part de son corps, est soulevé en hauteur, au-dessus des rayons, et observe depuis son nouveau point de vue les gens affairés à leurs courses, ses amis, et... des silhouettes plus ou moins formées, translucides, dont il réalise qu'il s'agit d'esprits grouillant parmi les vivants.

Pendant ce temps, son corps figé se tient debout, les mains sur le caddie, la tête ailleurs, au propre comme au figuré, comme lorsqu'on est absorbé dans ses pensées. En cet instant, Henry se trouve à la fois physiquement présent et dans une autre réalité, observant du dessus. Son amie Nicole comprend et lui prend le bras en disant : « Henry, reviens vers nous... » Henry perçoit un brouhaha autour de lui, mais il entend l'appel de son amie. Et elle le ramène. Tout doucement.

Cette décorporation a sans doute été accidentelle, car différente de toutes les autres. Elle ne semblait pas *voulue*, même si sortir de son corps dans ce magasin a été très formateur. Il prend conscience *physiquement* ce jour-là combien nous vivons constamment entourés d'esprits. Henry le sait de manière abstraite à l'époque, mais le voir de ses yeux, constater que nous sommes entourés voire infestés par des âmes de défunts le surprend par son ampleur. Jamais il ne l'aurait imaginé à ce point. Il ignore si ces défunts au supermarché étaient des proches des personnes qui faisaient leurs courses. Il découvrira plus tard qu'il peut arriver que des âmes polluent l'environnement d'une personne vivante, ou d'un lieu. Certaines personnes quant à elles attirent des énergies particulières, des âmes parasites. Lui-même en tant que médium se sent parfois vidé de son énergie par un défunt.

Henry évoque à propos de cette décorporation en plein supermarché une expérience accidentelle, à l'inverse de la plupart de celles qu'il a vécues depuis sa plus tendre enfance. Il en est maintenant intimement convaincu, car *quelqu'un* est venu le lui confirmer.

Tout au long de son enfance, le regard des autres a eu pour conséquence de conduire Henry à se sentir progressivement différent alors qu'au départ tout à ses yeux était normal. Il a pris conscience petit à petit qu'il avait cette aptitude à voir des choses que d'autres ne voyaient pas. Il a été confronté à des forces, des entités ayant une vie propre. Mais à l'adolescence, durant ses expériences de décorporation, il a commencé à entendre la voix d'un être qui se présentera à lui comme son guide, et à vivre avec lui une nouvelle phase de son apprentissage.

À cette époque, toute peur a disparu, il se sait protégé. Quand son guide lui dit : « Viens », il ne peut pas résister, c'est impossible. Il peine à l'expliquer aujourd'hui. Est-ce cette voix rassurante ? Une voix qui envahit tout son être, qui le submerge d'une telle paix. Comme si leurs âmes se reconnaissaient, et que ce guide était un être qu'il avait toujours connu. Une fois parti avec lui, Henry sait ne pas être en danger, même s'il lui est difficile de dire *où* il va. Il ne va d'ailleurs pas vraiment *quelque part*, c'est-à-dire dans un autre lieu à distance, il est plutôt entraîné dans des plans de lumière destinés à lui faire prendre conscience directement de certaines choses précises. Par exemple une fois, ce guide montre à Henry une personne qui vient juste de mourir, quelqu'un qu'il ne connaît pas. Son guide souhaite qu'Henry observe les esprits affairés autour de cette personne. Il observe le défunt, d'autres esprits autour de lui, des êtres de lumière – il ne sait pas trop comment les appeler. Ce jour-là son guide lui fait comprendre que le défunt ne sait pas qu'il est mort, comme cela arrive souvent, qu'il commence en réalité tout juste à le comprendre.

Je suis surpris d'apprendre que ce guide si présent dans sa vie, Henry ne l'a vu qu'une seule fois. Juste une fois. À chacune de leurs *escapades*, lorsqu'il l'invite à le suivre, Henry ressent sa présence à côté de lui, mais ne le voit jamais. Parfois seulement un bras se matérialise, le guide se tenant derrière Henry. Il sent être enveloppé de sa puissance, sa force l'emmène. Cette puissance-là, Henry est incapable d'imaginer qu'elle puisse venir de lui-même. Elle vient d'ailleurs. Et cette force extérieure, cette aide de son guide, joue beaucoup dans son aisance à sortir de son corps. Henry s'affranchit de la matière physique, et enveloppé par cette énergie, il est propulsé ailleurs. Mais voilà, il ne le voit jamais.

Sauf une fois donc : il y a ce « Viens » habituel, et immédiatement après Henry est littéralement happé et se retrouve face à un être dans une dimension où sont également présents d'autres êtres évanescents. Henry fait alors l'expérience d'une force de lumière, d'amour et de paix extraordinaires. Et dans cette expérience inoubliable, face à ces êtres fabuleux, il est lui-même envahi de lumière et le voit, lui, son guide, pour la première et la dernière fois de sa vie.

Les mots peinent à retranscrire de telles expériences. Henry parle d'un être d'une beauté incroyable. Son visage est humain, et irradiant d'une lumière indescriptible. Ce jour-là, il lui fait un tout petit sourire en inclinant la tête, une sorte de douce confirmation que c'est bien lui qui l'a guidé tout ce temps. Et c'est tout. Depuis ce jour, Henry sait avec le cœur et chacune de ses cellules qui est l'esprit qui l'accompagne et qui l'aide.

Lorsqu'il est en consultation, en contact avec des défunts, il arrive au guide d'interférer et de jouer ce rôle d'intermédiaire entre les morts et les vivants, même si ce n'est pas systématique. Henry le définit plus comme un être protecteur et aimant, qui l'aide à évoluer et à se canaliser. Il n'a pas de discussion avec lui. C'est uniquement sur son initiative que le guide s'adresse à Henry. Une phrase ou deux et ça s'arrête là. Avec amour et parfois aussi des réprimandes, comme un parent pourrait le faire avec son enfant.

Une des recommandations les plus importantes qu'ait données ce guide à Henry a été de le décider de faire de sa médiumnité un métier. Aussi étonnant que cela puisse paraître, Henry ne le souhaitait pas.

C'est à l'âge de dix-neuf ans qu'il reçoit cette injonction. Elle lui est donc donnée dans un premier temps par la voix de son guide. Une voix qui s'impose à lui, sans doute possible sur son origine. Le message est le suivant : « Plus tard tu vas avoir des milliers d'âmes à soutenir, et notamment des parents qui ont perdu des enfants. » À dix-neuf ans, il n'a pas envie d'entendre ça. Trois semaines après, stupeur, c'est le grand-père d'Henry, décédé quelque temps auparavant, qui lui apparaît physiquement et lui délivre le même message : « Tu vas avoir des milliers d'âmes à soutenir… »

Deux fois en trois semaines, « c'est bien gentil, pourquoi pas ? » se dit Henry, mais il n'envisage pas de s'y mettre aujourd'hui. Pourquoi pas lorsqu'il sera à la retraite ? Car il travaille à ce moment-là dans le monde de la couture et ce qu'il fait le passionne.

Sans donc tenir compte de cette demande, il continue sa vie professionnelle. Il s'installe à Paris deux ans plus tard et à peine quelques mois après son arrivée, une succession de hasards lui font rencontrer plusieurs médiums se produisant en public. L'une d'elles s'appelle Mme Berthe. Il ne la connaît pas, pourtant pendant la séance publique à laquelle il assiste, elle le regarde et annonce : « On me dit que vous êtes un médium, votre place est ici avec moi... » Mais non ! À Paris, Henry a trouvé un emploi de costumier et commence à se faire une place dans le monde du spectacle. S'il rêve d'une chose, c'est plutôt d'être chanteur. Intrigué, il continue tout de même à assister de temps à autre à ces séances de médiumnité collectives où des médiums, assis sur une estrade devant un public plus ou moins clairsemé, captent au petit bonheur d'éventuels défunts présents, et délivrent leurs messages à leurs proches présents dans la salle.

C'est dans ce cadre qu'il fait la connaissance de la médium Nicole Leprince avec laquelle il nouera des liens d'amitié très fort. Leur première rencontre a lieu lors d'une consultation privée où Henry se présente comme un simple client. Et ce jour-là, son grand-père se manifeste à la médium et lui donne à nouveau ce message insistant : « Tu vas avoir des milliers d'âmes à soutenir... » Décidément ! Malgré ses réticences, quelque chose est lancé, et dans les mois qui suivent (cela fait moins d'un an qu'il est à Paris), après avoir été testé par l'organisateur de ces séances de médiumnité publiques, Henry se retrouve sur scène.

Son trac ce jour-là est inimaginable, incomparablement plus fort que ce qu'il peut éprouver encore aujourd'hui avant de commencer une séance publique. La veille, impossible de dormir, Henry a bu café sur café et n'a dû dormir que trois heures. Et puis le matin de ce mercredi 13 mars, tenaillé par l'angoisse, il est à deux doigts de tout annuler. Envie de vomir. Pourtant, dès qu'il se trouve sur scène, tout est métamorphosé, l'angoisse a disparu, le temps s'est arrêté. Il est instantanément habité par des énergies particulières et capte les esprits comme s'il avait fait cela toute sa vie. Ce qui est d'ailleurs un peu le cas.

Une nouvelle vie pas déplaisante s'instaure. Henry participe à ces séances en public le soir, ou le samedi, et continue son métier de costumier. Il est heureux. Il lui semble avoir suivi la demande qui semblait si impérieuse de son guide et de son grand-père, tout en continuant à faire ce qu'il aime et l'épanouit. Mais il semble que l'on attende plus de lui, et bientôt son guide intervient de nouveau, et ce d'une manière très directe : « Maintenant tu arrêtes ou on coupe tes dons, tes aptitudes. » Sous-entendu : « Tu arrêtes ton métier et tu deviens médium à plein temps ou alors toutes tes capacités de perception te seront retirées. Cette injonction est sans appel – il la qualifie presque de chantage aujourd'hui. *On* lui intime d'aider des parents en deuil, ce qu'il fait déjà en public, sentant combien il est utile dans cette tâche. Mais à plein temps ? Recevoir en privé ? Malgré son appréhension, tout va très vite. Il abandonne son métier et ce milieu du spectacle qu'il aime, le cœur gros. Il a vingt-neuf ans lorsqu'il devient médium à part entière. Il en a cinquante-quatre aujourd'hui.

Voilà donc des années qu'Henry consulte dans ce petit appartement du 13e plongé dans l'obscurité. À force de visites, il m'est devenu familier.

La photo de mon père est maintenant collée à son front. Après un début de test qui m'a un peu intrigué, lui présenter la photo de mon père a eu pour effet instantané de canaliser la communication.

– Je vois des fiches, me dit-il, une boîte en fer, j'entends même le bruit de la boîte. Comme s'il y avait des affaires dans cette boîte, des affaires à lui, plein de choses. Je sens quelqu'un qui est assez ouvert d'esprit mais aussi conservateur. Il avait tendance à ne pas vouloir voir grand monde, vivant un peu reclus. Il me fait ressentir ça pour les dernières années de sa vie… le monde, la famille, « à petites doses, me dit-il, à petites doses ».

Mon père ne pourrait pas mieux être défini : un homme aimant vivre presque reclus. Et cette expression « à petites doses », je l'entends tellement la répéter… Henry poursuit sans que j'aie dit un mot.

– « Qu'on me foute la paix ! » me dit-il. Il était un peu bougon par moments. Il ne parlait pas beaucoup mais je le vois observer le monde autour de lui.

– Oui.

– Il me dit : « Ma femme a eu beaucoup de patience avec moi. » Il formule comme un remerciement à ce sujet. C'est incroyable, il dit cette phrase pour la deuxième fois : « Qu'on me foute la paix ! » Il ne parle pas de maintenant, mais du temps de son vivant, des dernières années de sa vie. Tu vois ce que je veux dire ?

– Oui. Ça me parle.

Effectivement, cela me parle fortement.

– Il insiste… deux fois de suite quand même. Chez lui il n'y a pas une vitrine avec des objets lui appartenant ?

– Si.

– C'est dans une pièce, des choses un peu anciennes sont dans cette vitrine… des objets plus liés à lui qu'au reste de la famille. Des objets à regarder mais qu'il n'aimait pas que l'on touche…

– Oui.

C'est étonnant. Papa avait installé des étagères sur le mur

principal du salon, où il avait disposé toutes sortes d'objets de son enfance, offerts ou hérités de ses ancêtres. Il y était extrêmement attaché. Il appelait ça son « musée des objets ».

– Je le vois entouré d'une belle lumière, et il me dit : « Si j'avais su ! » comme si de son vivant il ne croyait pas trop à la survie de l'âme...

– Oui...

– Il montre un objet que tu lui as offert. Comme un minéral tranché. Je le vois posé sur son bureau.

Sur son bureau, papa avait posé un gros fossile d'arbre que je lui avais rapporté de Madagascar. Bloc que j'ai récupéré aujourd'hui. Mais pourquoi, maintenant que la connexion semble établie, mon père ne dit-il pas ce que j'attends, et me parle plutôt de son musée des objets ou du fossile sur son bureau ? J'interviens :

– A-t-il d'autres choses à nous dire ?

– Attends... ça peut te paraître bizarre mais il m'envoie des pensées affectives vers quelqu'un de sa jeunesse. Une nourrice, ou une dame qu'il considérait un peu comme sa deuxième maman ? Tu ne sais pas qui c'est ?

– Je l'ignore.

À ce stade de notre entretien, en effet, je l'ignore. Ma mère confirmera toutefois plusieurs semaines après que durant la seconde guerre mondiale, lorsque Paris était occupé, mon père fut envoyé en province par ses parents, chez une dame pour qui il eut une très grande affection, et dont il parla souvent à ma mère. Pour l'heure, Henry poursuit :

– C'est une dame qu'il aimait beaucoup... Quelqu'un de décédé dans la famille s'appelait Maurice ? Ou Mauricette ?

– Je l'ignore.

– Maurice ou Mauricette, un prénom comme ça... il me

fait comprendre qu'il aimait les choses bien faites, perfectionniste. Ça te parle ?

– Oui.

Il aimait les choses bien faites, oui, mais quant à Maurice ou Mauricette, mystère.

– Il me dit : « Quand j'avais peur de me tromper, je ne le montrais jamais »... question de fierté. C'est curieux, je ne sais pas qui c'est pour toi, ou alors dans sa famille, mais il y a un enfant qui a cherché une sorte de reconnaissance de sa part, ça te parle, ça ?

– Oui.

– Il m'envoie cette pensée très forte, celle d'un enfant qui a recherché son approbation, sa reconnaissance, son amour. Tu comprends ?

– Oui.

– C'est très fort. J'entends : « Maintenant j'ai compris. »

Mes frères et moi avons toujours recherché l'approbation de notre père. Mais autant moi, sans doute parce que j'étais l'aîné, je n'ai pas souffert de son absence relative de démonstration affective, autant mes deux frères, eux, en ont été beaucoup plus affectés. Thomas notamment, avant sa mort, lui avait vigoureusement manifesté la blessure que représentait à ses yeux le sentiment de ne pas avoir reçu de sa part de signes d'amour et d'attention.

Cette information – sur le manque de démonstration affective dont fit preuve mon père à notre égard – va être donnée par tous les médiums participant au test. Cette récurrence, comme celle de son caractère renfermé et solitaire, serait étonnante voire totalement surprenante statistiquement parlant si, comme le postulent certains, les médiums décrivaient des traits de caractère par hasard, qui s'avéreraient être les mêmes à chaque fois *par coïncidence*. Et ces similitudes ne portent pas uniquement, comme nous allons le voir tout au long du livre, sur le caractère de mon père, mais sur de nombreux autres détails. Notamment lorsqu'on en vient aux circonstances de son décès. Sans rien révéler de ce qui va suivre, je dois juste confesser à ce stade que lorsque, médium après médium, des constantes précises vont émerger, mon incrédulité va se transformer en réelle émotion.

Mais poursuivons avec Henry.

– Il n'aimait pas les piqûres ce monsieur ? me demande-t-il en évoquant mon père sur la photo.

– Non.

– Il me montre les piqûres. Il n'aimait pas qu'on le pique, ni qu'on le soigne.

Personne n'aime les piqûres. Mais je ne peux m'empêcher ici de songer que mon père souffrant d'ascite durant les derniers mois de sa vie, comme je l'ai dit plus haut, les longues séances de ponction qu'il dut subir consistant à lui enfoncer une aiguille dans le ventre afin d'en extraire les litres de liquide qui s'y trouvaient en excès devaient constituer des épisodes certes soulageants mais peu agréables.

– Je répète ce que j'entends, hein : « Le médecin rien à foutre… pas de piqûres, pas de machin… » C'est une personnalité, il a du caractère ce monsieur. Je crois qu'il était assez exigeant, mais souriant en même temps. Je vois son petit sourire. Je sens une grande sensibilité… Il a dû faire des malaises à un moment donné. Je ne sais pas si c'est au moment où il partait de ce monde, ou un peu avant, mais il se montre crispé de douleur. Ses mains serrent quelqu'un ou quelque chose, par crispation. Une douleur vive dans le corps…

– Oui.

Mon père pouvait effectivement s'emporter rapidement, mais c'était aussi un homme bienveillant, à l'écoute, et souriant. Quant aux malaises, il en eut, c'est certain. Et cela ne fut pas agréable.

– J'ai l'impression d'être saisi brutalement par une douleur violente et je me crispe. Tu comprends ?

– Oui.

– Mon corps se raidit d'un seul coup comme si j'allais partir. Il me fait comprendre qu'il est mort suite à cette douleur, tu vois, ça te parle ?

– Oui.

– Je sens cette douleur, il me la restitue… c'est marrant parce qu'au début il m'a fait entendre une sorte de boîte de métal que l'on ouvre, dans laquelle on fouille, et maintenant j'entends : « Mes boîtes » ou : « Ma boîte ». Ça te dit quelque chose ?

– Non.

Les boîtes ne m'évoquent rien de précis. En revanche, la douleur fut présente, pas forcément intense et violente, mais sourde et usante durant ses dernières semaines. Je vois ce masque qui apparaissait parfois sur son visage lorsqu'il était saisi par une souffrance soudaine, ses mains qui serraient…

– C'est lui ou son père qui a eu une décoration de guerre ?

– Son père.

– Parce que quelqu'un est là-haut avec lui, et vient brutalement de me montrer une décoration de guerre, c'est son papa ?

– C'est son père, oui.

– Oui, ils sont ensemble. Évidemment, cet homme, son père, est parti il y a longtemps. Ce monsieur (Henry désigne la photo de mon père) admirait son papa, tu le savais ?

Une décoration de guerre, un fils qui admire son père… Bien sûr, tous les papas en âge d'être le père de l'homme sur la photo sont susceptibles d'avoir été impliqués dans une des guerres qui ont secoué le monde durant le siècle dernier. En outre, il est aussi peu risqué de dire qu'un fils admire son père. Mais je confirme à Henry pour voir où *mon aide au ciblage* va le conduire.

– Je pense qu'il l'admirait, oui.

– Je sens qu'il y a eu admiration, dans une génération où l'on ne disait pas ces choses. Admiration pour des faits de guerre… l'esprit qui est décédé a reçu des décorations de guerre. Quelqu'un a-t-il gardé ces médailles ?

– Euh… oui.

Je ne sais pas pourquoi je ne réagis pas. C'est moi qui ai récupéré la Croix de guerre de mon grand-père. Mais sans doute la mention d'une médaille militaire me semble encore trop vague à ce stade…

– C'est l'un d'eux… son père a été blessé à la jambe ?

– Oui.

– J'ai quelqu'un qui me parle de blessure à la jambe.

Voilà qui se précise. Mon grand-père, qui à en croire Henry vient de faire irruption à côté de mon père en montrant sa médaille et en parlant d'une jambe blessée, avait été décoré durant la première guerre mondiale, et également… blessé aux pieds et aux jambes lors de ce conflit. Il en avait conservé une infirmité toute sa vie durant, objet d'une souffrance quasi quotidienne. En outre, mon père, son fils unique, avait effectivement gardé une grande admiration pour cet homme mort avant ma naissance.

– Il devait être assez cérébral cet homme-là… c'est lui ou son père qui avait les yeux clairs ?

Mon père avait les yeux bleu clair, mais ça ne se voit pas

sur la photo, et en plus nous sommes toujours plongés dans la pénombre.

– Lui.

Je réponds en désignant la personne sur la photo, dont d'ailleurs Henry n'a curieusement toujours pas évoqué qui il pouvait représenter pour moi. De mon côté, je n'ai bien évidemment rien dit, même si la logique et un examen plus précis pourraient laisser supposer une certaine filiation. C'est d'ailleurs la raison pour laquelle je n'accorderais pas une grande importance au fait que des médiums puissent l'identifier comme étant mon père. À l'inverse, je m'attache aux éléments qui ne figurent pas sur la photo, et qui ne pourraient être déduits de son examen. Par exemple la blessure aux jambes de mon grand-père pendant la première guerre mondiale, qui ne se devine bien sûr pas sur la photo de son fils.

– Il avait les yeux bleus ?

– Oui.

– Je vois des yeux bleus. Je l'ai vu furtivement me regarder… Il me dit que de son vivant il pensait beaucoup à ses proches décédés. Sans grande conviction, il espérait que la survie existait. Ça te parle ?

– Oui.

La survie de l'âme après la mort ! Depuis le décès de mon frère – son fils –, mon père y pensait constamment, et oscillait entre espérance et résignation. Il se livrait peu, mais durant les moments où nous en parlions tous les deux, je ressentais la souffrance, la douleur et la tristesse qu'entretenait le doute qui l'habitait à chaque seconde. Il semblait prisonnier, tiraillé entre des sensations contraires. Et les livres dont je lui avais suggéré la lecture ne semblaient pas faire vaciller durablement ce qu'il appelait avec un triste panache la « muraille immense du brouillard ». En effet, son immense érudition ne l'aidait pas. Au contraire, elle lui fournissait quantité d'arguments intellectuels pour valider à la fois l'une et l'autre des hypothèses. Qu'y a-t-il après la mort, le néant ou quelque chose ? Son cœur était incapable de parvenir à faire un choix.

– Il me fait comprendre qu'il n'avait pas une grande conviction que la vie puisse se poursuivre après la mort. Il n'était pas sûr de lui. « On verra bien », pensait-il. Et il me fait part de son étonnement. Il parle d'un retour aux sources. Il me fait comprendre qu'il a donné des petits signes à des personnes dans son entourage. Tu en as entendu parler ?

– Ça me parle.

Ma mère m'a dit avoir senti sa présence. Mon frère Simon également. Et cela m'est également arrivé. Mais dans ce type de sensation, les choses sont si subtiles et intimes qu'il est très délicat de partager objectivement ce qui peut parfois avoir pour soi-même la force d'une certitude.

– Il me fait comprendre qu'il faudrait mettre de l'ordre dans certaines de ses affaires.

– Dans quel sens ?

– Des affaires personnelles… il devait avoir une pièce bien à lui à son domicile. Est-ce que tu sais ça ? A-t-il habité, à une époque ou les derniers temps de sa vie, un endroit avec un jardin et une sorte de cabane, ou d'extension ?

– Oui, c'était le cas.

– Il me fait comprendre que c'est une pièce à part, dans laquelle il pouvait rester des heures. Même y passer la journée ne le dérangeait pas.

– Oui.

– Il aimait être à part, dans cette pièce. Il me parle de ses occupations, de ses passions.

Mon père avait enseigné la géographie en hypokhâgne, mais il était peintre. L'enseignement avait été sa profession, la peinture son essence. Il s'était fait construire un atelier à distance de la maison, dans le jardin, où il passait le plus clair de ses journées, à peindre bien sûr, mais aussi à écrire ou à lire. Alors que je suis assis devant Henry, je ressens dans tout mon être la *présence* de mon père. Je ne sais pas comment l'expliquer mais je le sens. En revanche, j'ai conscience que cette sensation est totalement subjective, et que pour être réussi, ce test doit être impartial. Il faut que je parvienne à aider Henry et *mon père* à se concentrer sur l'objectif, sans que je sois trop directif. Je marche sur des œufs.

– Peux-tu lui demander de décrire son départ ?

– Oui, à condition que lui ait envie d'en parler, me répond Henry. Sa mère était veuve depuis longtemps, je dirais vingt, vingt-cinq ans ?

– Oui.

Ma grand-mère mourut vingt ans après son mari.

– Parce qu'il me dit que sa maman était veuve depuis des années. Il me dit : « Je l'ai retrouvée aussi. » Elle est venue le chercher, avec son mari, tous les deux. Il était heureux de les voir. « J'ai fait la paix avec moi-même », voilà ce que j'entends, c'est curieux mais je te le livre. S'il dit cela, c'est qu'il devait être un peu torturé dans sa tête, il me le fait ressentir… Aïe, je ne veux pas te dire une bêtise, je viens de recevoir une douleur, ici, à la poitrine, il n'a pas eu un problème de poitrine, de cœur ou de poumons ?

– Les deux.

– Ça m'a fait comme un courant électrique qui m'a pris la poitrine et le cœur d'un seul coup…

Après la mort de mon frère en 2001, sans doute en raison

du choc colossal qui l'avait grandement affecté, mon père fut victime d'une septicémie qui eut pour conséquence de lui endommager une valve du cœur. Il guérit finalement de cette septicémie, mais elle avait fait quelques dégâts. En effet il montrait depuis cet épisode une fatigue cardiaque due à une très légère fuite au niveau de la valve affaiblie. À la longue, cette fatigue eut des effets sur les poumons, affaiblissant encore son organisme. Jusqu'à ce que son cœur lâche, après des semaines à l'hôpital, semaines de lente dégradation jusqu'à épuisement total de son organisme. L'ascite, cette masse d'eau au niveau du ventre, était une conséquence directe de ses problèmes pulmonaires et cardiaques. Je donne ces détails dans le souci de vous laisser juge de la précision des ressentis d'Henry – et de ceux de tous les médiums qui ont participé à ce livre, vous allez le découvrir.

Avec Henry toutefois, mon père ne semble pas vouloir s'étendre sur cette période durant laquelle il n'a pas aimé voir son corps lentement le lâcher.

– Il insiste pour me montrer qu'il y avait chez lui une sorte de dessin, non, de peinture, représentant la nature, puis le soleil. La luminosité, la lumière…

– Oui.

Chez mes parents étaient accrochés aux murs de nombreux tableaux peints par mon père, représentant tous, sans exception, des paysages stylisés vus du ciel, et alternant des formes géométriques, des lignes et parfois de grands aplats de couleur figurant un lac, un désert, une chaîne de montagnes, etc.

– Il me remontre cette pièce située dans un jardin, pas dans la maison… où il passait beaucoup de temps.

– Oui.

– Il me montre des papillons. Il devait aimer regarder le jardin et les papillons… Observer. Je sens que c'est l'observation qui compte dans les images qu'il me montre.

– Oui.

– Observer depuis une fenêtre de cette maisonnette. Je le vois très pensif. Il pense à sa vie, aux siens, à sa famille. Ces dernières années ça tournait beaucoup, me dit-il. Par rapport à sa famille, j'entends : « Je suis toujours là. » Il me chuchote dans un souffle : « J'avais peur. »

Mon père adorait sa maison. L'idée de devoir quitter la douce quiétude de sa campagne, le chant des oiseaux, la vue plongeante sur la crête de la forêt, le ballet des milans était un énorme déchirement. La mort signifiait laisser ce paradis. Lors d'un échange que nous eûmes dans la cuisine, alors qu'il regardait la forêt à travers la fenêtre, il me demanda soudain avec une extrême émotion : « Est-ce que dans la mort il y aura des paysages comme ça ? Pourrai-je regarder par la fenêtre ? Y a-t-il des fenêtres dans la mort ? C'est de ne pas savoir qui me terrifie. » C'était quelques semaines avant son décès, alors que le printemps et le soleil donnaient à ce qui s'étendait devant ses yeux la couleur du bonheur. Il touchait là à ce qu'il y a d'essentiel et en même temps de si simple dans la vie.

Faire de sa médiumnité un métier implique d'être rémunéré. Même si quantité de personnes exercent une profession pour laquelle elles ont un don au départ, sans que cela soulève la moindre objection, la question fait débat dès lors qu'il s'agit de médiumnité. Pourquoi ?

Car enfin un cuisinier par exemple ne gagne-t-il pas sa vie grâce à un don qu'il a su cultiver ? Comme un musicien, un fleuriste, un peintre, un écrivain, un avocat, un chirurgien ou un encore un psychologue. Pourquoi les médiums, ou encore les guérisseurs, devraient-ils faire exception et travailler gratuitement ? Pourquoi serait-il admirable de gagner sa vie (très bien parfois) en exploitant un don pour la natation par exemple et répréhensible de le faire en étant médium ?

Ce n'est pas pareil, me rétorquera-t-on. Et pourquoi donc ? Cette affirmation péremptoire selon laquelle les guérisseurs ou les médiums ne doivent pas monnayer un don qui leur est donné, sous peine d'être des charlatans, ne serait-elle pas due plutôt au rapport que notre société entretient avec ces capacités inexpliquées : une sorte de fascination un peu craintive mêlée de suspicion ?

Or, il faut bien se rendre compte combien cette attitude nous maintient dans l'ignorance de la réalité de ces phénomènes. Car que sont réellement ces capacités ? Ce n'est d'abord pas… rien. Ces capacités existent, leur réalité est constatée, ce sont leurs interprétations qui sont encore mystérieuses. Mais pour ce qui est de la capacité d'un homme ou d'une femme à obtenir des informations précises au moyen d'une sorte de sixième sens, l'observation empirique des résultats, même en laboratoire, ne soulève plus aucun doute. Que ces informations proviennent d'un défunt, ou de capacités télépathiques, ou d'autres choses encore, voilà une question légitime et même cruciale, à laquelle ce livre tente de répondre.

Donc la médiumnité est un phénomène tangible et réel. Ce n'est pas de la magie, ni de la sorcellerie, ni un pouvoir conféré par Dieu ou je ne sais qui. Les recherches nous indiquent que nous avons affaire à une disposition naturelle de l'être humain, très développée chez certains, qui demande à être apprivoisée par celui chez qui elle s'éveille. Son emploi requiert du discernement, de sa part et de la part de ceux qui consultent.

Être doué ne fait pas d'un médium un élu, non ! Pas plus qu'un très bon boulanger n'est un élu. Ce don une fois développé et maîtrisé peut être exploité professionnellement. Au nom de quoi cela ne serait-il pas possible ? C'est de la bonne pratique de chaque individu qu'il faudrait juger, comme le Conseil de l'ordre des médecins le fait en permettant l'application d'une éthique commune à chaque praticien. Mais il serait incohérent de juger une profession entière sur des présupposés qui n'ont rien de scientifique. Ce ne serait pas sérieux.

Alors je le dis avec conviction : non seulement les médiums, les guérisseurs qui se font payer en ont le droit, mais le leur nier conduit précisément à ces dérives que nous voulons éviter. Car en ne reconnaissant pas ces capacités pour ce qu'elles sont, nous entretenons le flou et l'ambiguïté la plus opaque sur les limites de leur champ d'action, dans la guérison ou dans le travail du deuil. Et c'est là que se situe le danger bien réel des dérives sectaires, du charlatanisme et des abus scandaleux de toutes sortes.

Alors oui, comme d'autres, Henry s'est longtemps interrogé à ce sujet, et continue parfois de le faire. À ses yeux, si vraiment il existait un désaccord spirituel quant au fait d'être payé, pourquoi lui aurait-on demandé d'arrêter son métier ? La demande a été si impérieuse ! Il aurait préféré rester costumier, et aider occasionnellement les gens lors des séances publiques auxquelles il participait. Aujourd'hui, il ne regrette pas d'avoir changé de vie, même si son ancienne vie lui manque. Henry est un créatif, il y a une part artistique au fond de lui, et ne pas pouvoir l'exprimer lui a manqué à plusieurs reprises dans sa vie.

Nous avons souvent eu des discussions à ce sujet, car je suis frappé par la constance et l'énergie que met Henry, depuis plus de vingt-cinq ans, à faire la même chose : recevoir la douleur de gens en deuil, plusieurs fois par jour. Je vois cela comme un véritable sacerdoce, qu'il porte avec un sens du devoir presque pénitent. Il dit être aidé et encouragé à poursuivre cette tâche parce qu'il se sent utile devant la détresse, la souffrance de ces personnes qui viennent le voir, croyantes ou sceptiques, mais unanimement plongées dans le désarroi par la perte d'un proche.

Combien de fois a-t-il donné des éléments qui ont permis à ces gens d'envisager que l'âme puisse continuer de vivre après la mort ? Chez combien d'hommes et de femmes a-t-il ouvert une petite porte vers l'espérance ? À combien a-t-il redonné la force de vivre alors qu'ils ne l'avaient presque plus ?

J'ai été témoin de cela à plusieurs reprises. J'ai vu des gens s'illuminer et l'embrasser, comme ce policier la semaine précédant notre entretien qui était venu le voir à propos de son fils décédé. À la fin de la séance, alors qu'il partait et se tenait debout sur le pas de la porte, cet homme s'est immobilisé devant Henry, et lui a demandé soudain s'il pouvait le prendre dans ses bras. Ce qu'il a fait. À l'évocation de cet épisode récent, Henry est très ému. Dans de tels moments, je saisis mieux pourquoi il fait cet étrange métier depuis si longtemps.

Étrange, parce que, loin d'une autre idée reçue, la vie de médium n'est pas rose tous les jours, et même pas forcément enviable. Henry n'en fait pas fortune, il a renoncé à un métier épanouissant qui lui tendait les bras, il vit au milieu des morts à longueur de journée et de nuit, et cela, en définitive, pour le sourire d'une mère, pour l'éclair d'espoir qu'il voit surgir dans l'œil d'un père effondré. Non, ce n'est pas un métier facile.

En outre, utiliser ses perceptions quotidiennement use beaucoup sur le plan physique. Henry y laisse sa santé. Il est quotidiennement confronté aux énergies psychiques que portent les gens, à leurs émotions, mais aussi à celles des esprits. Réussir à se mettre au diapason, capter les différents degrés où ils évoluent fatigue énormément. Cela l'a vieilli. Henry a mûri très jeune. Il est devenu plus vieux que son âge et a évolué différemment des autres personnes de sa génération.

Pourtant, au-delà de ces difficultés, il évoque des joies, rappelle que des choses extrêmement fortes se produisent aussi. Voir ses clients retrouver des forces pour continuer à vivre n'a pas de prix. Apporter des preuves de survie, redonner la foi à ceux qui l'avaient perdue représente la plus grande grâce qui lui soit donné de vivre, confesse-t-il.

Il est difficile de mesurer la charge de responsabilité que représente le fait de recevoir des gens en deuil, et ce sans aucune formation en psychologie. À ses débuts d'ailleurs, Henry était très inquiet sur ce point, car il voulait à la fois parvenir à donner des éléments sur les défunts – parvenir à exercer sa médiumnité – et être capable de soutenir psychologiquement les personnes qui le consultaient. Sans formation de psychothérapeute, ce n'est pas en essayant de «jouer au psy» qu'il y est parvenu, mais en accordant une confiance aveugle à l'*invisible*. Et il en faut de la confiance quand on reçoit des gens qui vous déclarent au début de la consultation : « Monsieur, si je n'ai pas les preuves aujourd'hui, je me tue... » Quelle responsabilité ! Comment imaginer que ce puisse être simple à vivre ? Mais surtout, comme parvenir sereinement à se mettre en état de perception ? Comment fait-il ? À sa place, je serais tétanisé par un stress colossal.

La clé réside dans cette confiance qu'il accorde sans réserve au monde invisible, et qui l'autorise à dépasser la charge émotionnelle. Aujourd'hui, exercer cette activité depuis tellement longtemps lui a permis d'acquérir certains automatismes. « L'important c'est le lâcher-prise », dit-il.

Il faut dans un premier temps parvenir à se dégager de la personne qui vient consulter, de son énergie, de ses attentes, de son état psychologique et émotionnel. En consultation privée, pour atteindre cet état de relâchement, Henry ferme les yeux. C'est sa façon de s'isoler : ne pas regarder le client. Une fois qu'il est bien détaché, il travaille à essayer de faire abstraction de son mental, ce qui est le plus difficile. Mais lorsqu'il commence à se concentrer, souvent des pensées parasites surgissent. Alors il prie, en silence, intérieurement, et se rend disponible. Puis, dans cet état de calme, il attend d'être *envahi*. Comme si se produisait une sorte de dépersonnalisation. C'est ce qu'il sent se produire : une partie de lui se dépersonnalise et *devient l'autre*, le défunt. Il se laisse envahir par son énergie psychique. C'est une sorte de jeu d'équilibre car Henry reste complètement conscient, dans le présent avec le client en face de lui, tout en étant dépersonnalisé. Une partie de lui est envahie par l'univers de l'esprit qui l'imprègne, et sa tâche consiste à dire à haute voix le maximum d'éléments et d'informations qui lui parviennent, à répéter ce que le défunt lui communique : des images, des sensations, des ressentis, des mots qui sont les siens.

À ce moment de la consultation, soit Henry sent la présence du défunt dans la pièce, soit il peut même le voir, par exemple derrière le client ou à côté de lui. Il peut également recevoir des sortes d'images intérieures dans lesquelles l'esprit se montre à lui et l'entraîne dans un moment précis de son passé.

Henry ressent les intentions qui sont celles du défunt. Par exemple, en consultation, il transmet des informations qui lui sont données ainsi, mais il arrive que le client ne réagisse pas tout de suite, ou qu'il ne comprenne pas de quoi il s'agit. Alors Henry, qui a noté que l'esprit passait à autre chose, est surpris tout à coup qu'il revienne sur le sujet que le client ne comprenait pas en fournissant d'autres détails. Henry voit derrière cette spontanéité une intention, une insistance, qui n'a rien à voir avec une image statique, ou un souvenir qui lui reviendrait à l'esprit.

Cette insistance de la part des défunts lui donne vraiment la sensation que *quelqu'un* communique avec lui. Il sent leurs présences.

Les êtres qui lui parlent lui coupent même la parole parfois. Ce point est loin d'être un détail, c'est même un élément capital. En effet, une fois que le constat est fait que le médium est capable d'obtenir des informations précises dont il ignorait tout, se pose la question de l'origine de ces informations. Henry pense qu'un défunt les lui transmet, mais pourrait-il s'agir d'une forme de télépathie ou de voyance comme nous l'avons supposé plus haut ? Car de ce que l'on sait aujourd'hui sur les perceptions extrasensorielles, la présence d'un défunt n'est pas nécessaire pour obtenir des informations, même précises, sur une personne dont on ignore tout. Sans même parler de mentalisme, qui est une technique explicable.

Dans les faits quantitativement rien ne permet de départager objectivement les deux hypothèses – les défunts sont vivants et parlent ou le médium est *juste* voyant et télépathe. Mais il y a ce ressenti, certes subjectif mais essentiel. Une perception de voyance ne coupe pas la parole, ne fait pas revenir le médium sur un détail évoqué un peu avant. En un mot, une perception de voyance ne fait pas montre d'*intention*.

Pour l'expliquer, Henry me cite l'exemple récent d'une maman venue le consulter à propos de sa fille décédée. Subitement, alors qu'il parlait avec la maman, l'esprit de la jeune fille a fait irruption à travers Henry, le surprenant lui-même, et s'est adressé à sa mère : « Tu vois, maman, je te l'avais dit ! » La présence de la jeune fille était telle que le fragile équilibre a été forcé et qu'Henry l'a fugacement incorporée quelques secondes. Dans un cas comme celui-là, il ne se contente pas de répéter ce qu'il entend, mais l'esprit est tellement imprégné en lui qu'il parle directement par sa bouche. Même s'il lui arrive parfois d'avoir ce qu'on pourrait appeler des « fragments d'incorporation », Henry n'aime pas du tout la sensation. Il faut dire que dans le cas d'une incorporation totale, le médium devient complètement inconscient, et ne se souvient de rien du tout après. Dans son cas, Henry est conscient, c'est juste qu'il ne maîtrise plus rien durant quelques secondes. Devant cette maman, c'est donc sorti d'un coup : « Tu vois, maman, je te l'avais dit ! » La mère a alors appris à Henry que deux jours avant que sa fille ne décède, elle lui avait annoncé qu'elle allait avoir un accident sur la route, et qu'elle allait en mourir. Comme cette jeune fille avait seize ans et ne conduisait pas, sa mère n'avait pas prêté attention plus que ça à cette remarque. Or, il se trouve que deux jours après, sa fille avait été heurtée par une voiture alors qu'elle marchait sur le bas-côté de la route.

Pour Henry, une telle spontanéité complètement inattendue est la preuve, s'il en était encore besoin, que c'est bien un esprit vivant, une intelligence qui s'exprime dans ses contacts médiumniques.

Une autre fois, des parents viennent le consulter pour leur fils décédé dans un accident de voiture. Pendant la séance, le fils montre une sorte de carte postale le représentant à la montagne, et fait comprendre à Henry qu'il est allé dans ce paysage juste avant de mourir. Ce garçon étant mort sur la route, en Bretagne, ses parents répondent à Henry : « Non, monsieur, notre fils n'est pas allé à la montagne récemment, il nous ne nous a pas envoyé de carte postale de montagne. » Mais le fils continue de montrer une carte ainsi que des photos de lui à la montagne. Henry dit aux parents que l'esprit de leur fils insiste. « Non, voilà des années qu'il n'a pas été à la montagne, ça ne correspond pas. » Alors, malgré l'obstination de l'autre côté – parce que l'esprit lui fait bien comprendre qu'avant de mourir il est allé en montagne –, Henry s'excuse et dit ne pas comprendre. Quelques jours après cette séance, les parents parlent de leur consultation à leurs proches, et l'amie de leur fils leur révèle qu'elle et lui… sont effectivement allés passer deux jours en montagne avant son décès. Ils s'y sont même pris en photo. En venant en consultation, les parents ignoraient tout de cette escapade, comme Henry d'ailleurs. En fait, une seule personne dans la pièce était au courant. Une personne décédée depuis des mois : leur fils.

Les demandes des clients peuvent être plus légères, et moins chargées. « Comment va tel défunt ? » Voilà la demande la plus fréquente des clients qu'Henry reçoit. On lui demande aussi beaucoup si les défunts ont un message particulier à faire passer. Beaucoup de gens viennent le voir par curiosité. « Est-ce que la vie existe vraiment après la mort ? » Cette question est si vertigineuse ! Il arrive également que des personnes viennent demander des avis à leurs défunts pour prendre des décisions dans leur vie. Dans ce cas, Henry refuse. Il estime en effet que les esprits n'ont pas à être dérangés pour ça. Son expérience lui fait voir son travail comme une opportunité offerte à un esprit de venir prouver sa survie et rassurer les vivants. Parfois, dans ce contact-là, le défunt peut donner des informations se rapportant à la personne qui vient consulter, ou à sa famille, mais c'est autre chose. Ce sont alors les défunts qui viennent spontanément de leur côté.

Je remarque que ce dont me parle Henry, ajouté à la manière dont se déroule le test, suggère que plutôt que favoriser une communication, c'est-à-dire une discussion entre deux personnes, un mort et un vivant, via son intermédiaire, ses capacités offrent davantage la possibilité à des morts de passer des messages brefs. Ce qu'ils expriment spontanément peut être perçu par Henry, mais en revanche leur poser une question semble plus complexe. D'ailleurs, Henry l'avoue : il n'aime pas que l'on pose des questions, pour la raison toute simple qu'il appréhende de ne pas avoir la réponse. Il est parfaitement conscient que c'est lui qui bloque à ce niveau. Néanmoins, sa longue pratique lui a démontré qu'il reçoit souvent de la part des défunts la réponse aux questions avec lesquelles les clients sont arrivés. La seule différence est que lui n'en est pas conscient. Ce qui fait une différence de taille, émotionnellement parlant.

Et cette émotion qui semble paralyser Henry, elle est bien présente alors que mon test se poursuit, dans ce petit appartement obscur.

J'ai l'étrange sensation de m'adresser à un rêve. Au fond de moi, je ressens que mon père est là. Il me donne des éléments qu'il serait difficile d'attribuer au hasard, mais il n'évoque pas spontanément ce que j'attends de lui. Pourquoi ? Je sens, palpable, la gêne qu'éprouve Henry à ne pas trop savoir ce que j'attends tout en ayant à l'esprit cette certitude que *j'attends effectivement quelque chose de précis*. Cet élément lui pèse, quoi qu'il en dise, et son inconscient, malgré notre amitié, ne peut oublier que je le teste. Il se met la pression, et je me rends compte combien cette pression est l'ennemie de ses perceptions.

De l'autre côté, je sens mon père présent, mais est-ce encore mon père ? Qui est cet être qui me parle par l'intermédiaire d'Henry ?

Il est précis parfois, me décrit son caractère, son atelier, sa mort, etc., mais saute d'un sujet à un autre avec une sorte d'inconstance. Derrière ce trait de caractère qui ne lui ressemble pas, je perçois son intention d'essayer par tous ces détails d'en trouver un qui soit convaincant, et suffisamment percutant pour me convaincre sans conteste de sa présence. Je le sens presque fébrile à essayer de se faire comprendre par un médium un peu tendu lui-même. Mais pourquoi ne me dit-il spontanément pas ce que j'attends ?

Je décide alors d'aider Henry à se canaliser vers l'objectif. Aussi, en lui désignant la personne sur la photo, je deviens plus précis.

– Je lui ai demandé de transmettre quelque chose.

– À qui ? À la famille ?

– À nous, à toi. Pour ce livre, je lui ai demandé d'exprimer quelque chose à travers chacun des médiums que je rencontre. Un message… il sait ce qu'il doit dire…

– Un message pour le livre ?

– Oui. Avant de venir, je me suis adressé à lui et lui ai demandé de te dire quelque chose de précis…

– Mais ce n'est pas évident ça, Stéphane.

– Ah non, ce n'est pas du tout évident…

– Quand tout est spontané de leur part, ça va, mais demander n'est pas simple. Enfin, pour moi en tout cas.

– Y a-t-il des images qui te viennent ?

– Non, pas par rapport à ce que tu me demandes. Mais c'est bizarre, il me fait comprendre qu'il a trouvé que son cercueil était trop petit. Il me l'a montré, je ne sais pas pourquoi, ça fait un peu bizarre… j'ai cette impression que ce n'était pas assez large, peut-être est-ce pour évoquer qu'il était prisonnier de quelque chose ? Non, il n'est pas coincé dans la matière, rassure-toi, il ne faut pas s'inquiéter pour lui, je ne sais pas… est-ce lié à sa façon de vivre ? À son imagination ? Est-ce que tu comprends ?

Je remarque que sans que je lui aie rien dit dans ce sens, l'évocation d'un message précis de mon père conduit Henry à parler de son cercueil. Simple coïncidence ?

– Ce que je lui ai demandé de te dire est en lien avec son cercueil.

– Ah, alors ça m'intéresse … d'accord.

– N'hésite pas à partager toutes tes sensations.

– Il me parle du cercueil et me dit qu'il est trop petit, qu'il faut pousser pour la liberté… J'ai entendu ta question et lui me parle de ça…

– Même si tu penses que ça n'a rien à voir et que ça te paraît bizarre, dis tout ce qui te vient.

– Oui… il me montre… tout est blanc, il devait y avoir un tissu, du satin blanc dans le cercueil.

– Oui.

– La couleur blanche, du satin blanc. Bon, je dis ce que j'entends : « On m'a bien mis. » Il remercie parce que j'entends : « Merci. » Je crois comprendre en même temps qu'il aimait les choses simples, qu'il voulait les choses simples, tu comprends ça ?

– Oui.

– Sans fioriture, simple, il insiste là-dessus… Je sens un peu d'énervement. C'est con ce que je vais te dire mais il me montre une pomme, je ne sais pas pourquoi. Une pomme circulaire, je ne vois pas bien quelle est sa signification… je ne sais pas. Il insiste, et en même temps ce n'est pas facile, il est loin de tout ça, mais il me montre ses doigts, ses doigts, sa main…

Et si papa, ne sachant comment communiquer à travers Henry, essayait plusieurs choses, insistait, et s'énervait presque ? Comment dire les choses ? Quand il montre ses doigts, ses mains, veut-il évoquer la peinture ? Et la pomme ? Pourquoi précise-t-il une « pomme circulaire » ? Y en a-t-il des carrés ? Est-ce un symbole ?

– Je ne vois pas l'objet, mais je n'arrête pas de voir le doigt, la main, le doigt, la main… il dit : « Je dis merci… liberté, liberté… je suis libre. » Quelqu'un a dû écrire un très beau texte à son intention, ça l'a beaucoup touché, tu sais ce que c'est ?

Le « très beau texte », n'est-ce pas celui du *Désert des Tartares* qui l'émouvait tant, l'histoire d'un homme qui reste jusqu'au crépuscule de sa vie prisonnier d'un destin qu'il s'impose ? Sur le moment, pensant plutôt à ses obsèques lors desquelles plusieurs belles choses ont été dites, je réponds :

– Oui, c'est le cas.

– Est-ce que l'on peut dire que dans son cercueil il y a quelque chose, ou que des choses ont été mises par des proches ?

Ah, là on approche ! Mon aide a consisté à dire à Henry que l'homme sur la photo avait un message à me transmettre. Henry a alors évoqué le cercueil trop petit, puis carrément des objets mis par des proches dans le cercueil. Le message est bel et bien une liste d'objets placés par un proche dans le cercueil ! Pourrait-il s'agir d'une déduction logique du fait que j'ai dit que le message avait à voir avec le cercueil ? Possible aussi.

Pour l'heure, j'acquiesce à la question d'Henry.

– Des choses, des objets personnels, de la part de personnes qui le touchent, et qui les ont mis avec lui ? répond-il.

Je note que mon père fait passer à Henry l'idée qu'il est question de plusieurs objets et non d'un seul. Ses efforts sont presque palpables, même si une partie de moi a encore du mal à comprendre pourquoi il ne dit pas simplement de quoi il s'agit. Je demande :

– Peut-il me décrire ces choses ?

– On lui a mis des choses personnelles, je pense que c'est au pluriel. Quand je dis ça, on est d'accord ?

– Qu'il y a plusieurs objets ?

– Oui, ou plusieurs choses, tu ne sais pas ?

– Si, je sais.

– Il me fait ressentir plusieurs choses.

– Dis tout ce qui te passe par la tête.

– Je le fais, parce qu'il m'envoie des choses, mais en même temps il est détaché de tout ça. Il est heureux, et il te remercie : « Je ne serai jamais mort tant que je serai en vie là et là. »

Henry désigne ma tête et mon cœur. Pourquoi soudain cette remarque si intime ? Jamais Henry n'a fait mention de notre lien de parenté.

– À l'intention de ceux qu'il aime, les amis, la famille, j'entends sa voix dans un souffle, très lointain : « Paix. »

Henry ayant murmuré, je n'ai pas entendu et le fais répéter.

– « Paix. » Il veut dire par là qu'il est en paix… Il y a plusieurs objets avec lui… j'essaie de comprendre, est-ce qu'on peut dire qu'il y a quelque chose qui a voyagé, qui a été à l'étranger ?

Je réfrène toute manifestation d'émotion intempestive, mais l'expression « quelque chose qui a voyagé » m'évoque instantanément la boussole. Encore une fois, je me mets à la place de mon père, et je l'imagine devoir évoquer des objets sans passer par des mots. Oui, voilà, c'est sans doute ça : il ne peut pas dire de mots mais simplement partager des sensations avec Henry. Leur zone de dialogue et de communication ne se situe pas dans un monde de mots mais dans un monde d'images et de sensations. Et c'est quoi la *sensation* d'une boussole ? Je me contente juste d'un :

– Oui.

– Je ne sais pas ce que c'est. Quelque chose qui a voyagé à l'étranger, que l'on a mis avec lui.

– Ça me parle.

– Il insiste fortement là-dessus : « C'est avec moi. » Oui, j'ai entendu, mais je ne vois pas ce que c'est… c'est comme une intention du cœur, un geste… Avec sa main, il prend de la terre ou du sable, il le laisse s'échapper… tu vois, comme si tout tombait en poudre.

– Du sable ?

– Oui, c'est comme du sable qu'il prend dans la main et il fait comme ça… tu ne sais pas ce que c'est ?

Là je ressens un choc, je suis très ému mais n'en montre rien. Une vraie émotion tant j'ai le sentiment que mon père fait vraiment très fort. Moi-même je n'aurais pas pu penser à cela. Je réalise une fois de plus combien donner le titre du roman que j'ai placé dans son cercueil peut être difficile. Et dire qu'en venant à notre rendez-vous ce matin je m'adressais à mon père à haute voix pour lui demander, parmi les quatre objets, d'essayer de mentionner le livre ! Quelle synchronicité entre le fait que je pensais spécifiquement à la difficulté qu'aurait papa à me citer le livre, et que ce soit précisément ce point le plus difficile qui *sorte* durant la séance ! *Le Désert des Tartares* : quoi de plus évocateur pour suggérer le désert que prendre une poignée de sable et la laisser s'échapper de la main… geste qu'est précisément en train de reproduire Henry devant moi ?

Malgré mon trouble, je me contente d'un :

– Euh, c'est parlant.

– Ah bon, c'est parlant pour toi ?

– Oui.

– Il fait ça avec sa main en coupe, il lâche quelque chose qui tombe de la main, un peu comme du sable. C'est ce que je vois, c'est ce qu'il me montre, après je ne peux pas faire plus, Stéphane.

– D'accord.

– Je fatigue, là. Je ne pourrai pas aller plus loin…

– On arrête. Mais j'aimerais comprendre pourquoi il ne peut pas te transmettre juste un mot.

– Parfois c'est le cas, parfois non.

– Parce que je vois bien que tu le captes, je sens qu'il est de l'autre côté, à essayer de se manifester, et il sait ce que j'attends. Alors il donne des images parlantes, mais pourquoi ne donne-t-il pas un mot ? Il n'y arrive pas ou c'est toi ?

– Ça dépend des moments, des esprits, ça dépend de tellement de paramètres… mais ça te parle ce sable dans la main ?

– Oui.

– Parce que lui a essayé de te répondre. Donc tu as eu une partie de la réponse et une autre te manque ?

– Mais pourquoi a-t-il utilisé une image plutôt qu'un mot ? Je ne peux pas t'en dire plus, mais je m'interroge vraiment… J'ai l'impression que l'on tourne autour du pot.

– Il a fait comme il a pu.

– Pourquoi n'arrive-t-il pas à parler, à dire un mot précis, puisque tu l'entends ?

– Si, il y parvient, mais par fragments. Il essaye.

– Mais j'attends des éléments précis et il le sait…

– Et parfois il donne d'autres éléments.

– Oui. Pourtant je me dis que s'il était vivant à côté de nous, enfin je veux dire physiquement, encore dans son corps, il saurait très bien quoi dire et comment le dire. Alors pourquoi là c'est différent puisque que tu dis qu'il est là ? Pourquoi ne dit-il pas clairement ce qu'il sait que j'attends ?

– Je ne sais pas. Il a commencé à me faire sentir des choses, mais que s'est-il passé à ce moment-là ? Je parle de ma perception. Ai-je été bloqué ? Ou je me suis bloqué moi-même, et lui a beau essayer de me mettre sur la voie, je m'embrouille inconsciemment et sans m'en rendre compte je ne parviens plus à aller plus loin ? Peut-être aussi que ça vient du champ d'énergie psychique de ton attente ? Le résultat c'est que ma partie à moi bloque et que lui ne peut pas aller plus loin.

– Tu veux dire que lui pourrait aussi avoir du mal à dire les mots que j'attends ?

– Ça peut arriver, oui, évidemment, il y a différents cas de figure.

– C'est ça que je voudrais comprendre : quels sont les différents cas de figure que tu évoques ? N'est-il pas en bonne santé là où il se trouve ? Ignore-t-il où il est ?

– Non, ce n'est pas son cas. Il a essayé de faire des efforts, mais voilà, il y a dans la communication avec l'au-delà ce qu'on appelle des « filtres ». Dans le processus de perception se mêlent les énergies psychiques des vivants et celles de l'esprit. Il arrive que je ne parvienne pas à me mettre totalement au diapason avec lui afin d'avoir les réponses à toutes les questions qu'on aimerait lui poser. Comme avec toi aujourd'hui où quelque chose bloque. Cela ne vient peut-être pas du défunt mais de moi, parce que par exemple je sens que tu as une attente très forte et ça me paralyse. Dans d'autres cas, ça peut être les défunts qui ne sont pas entièrement dégagés. Ou alors certains défunts ne passent pas avec certains médiums. Question d'empathie, d'énergie. Comme s'il manquait une partie de leur vibration. C'est comme nous dans les rencontres humaines : parfois ça accroche, parfois non. Et puis parfois je suis fatigué et curieusement je fais une séance magnifique. Les défunts me parlent avec leurs mots, leurs expressions. Je suis parfois dans une énergie, une densité incroyables. Je capte des comportements, des gestuelles et les clients me le confirment en disant : « On le reconnaît bien là ! » ou : « On a l'impression qu'on était avec lui ! »

Alors, le test est-il réussi avec Henry ? Je vous laisse juge ; en ce qui me concerne, mon cœur m'a donné la réponse. Mais que retenir de cette première rencontre ? Là encore, il ne m'appartient pas de décider pour vous, mais je suis très heureux de ne pas avoir lâché le morceau, et d'avoir poussé mon ami Henry dans ses retranchements. À l'image des rencontres qui vont suivre, je vais passer de stupeurs en découvertes, et à chaque fois, comme aujourd'hui, avec beaucoup d'émotion.

Parce que tout de même je peux vous l'avouer : j'ai vraiment le sentiment que mon père a été là tout au long de la rencontre. Que parfois il peinait, mais parfois s'amusait aussi de ma ténacité. Ce livre, je le fais avec les médiums… et avec lui.

C'est une évidence pour moi.

Mais au fait, lorsqu'il ne s'amuse pas avec son fils, que fait mon père maintenant qu'il a franchi la *muraille immense du brouillard ?*

Après sans doute des milliers de consultations, Henry garde étonnamment une vision très limitée de l'au-delà. La raison en est selon lui qu'il n'accède pas à l'*endroit* où sont les défunts. Ce sont eux qui viennent à lui. Plus exactement, ils se rejoignent à mi-chemin : eux descendent vers le physique, lui part vers un autre niveau de conscience. Lors de ses contacts, Henry explique que les défunts ont abaissé leur taux vibratoire pour atteindre notre réalité. Il ne pense pas qu'il puisse aller sur leur plan à eux, mais qu'eux peuvent *descendre*, en ralentissant leurs vibrations. Ils se synchronisent ainsi en quelque sorte avec le niveau dans lequel nous évoluons. Ce qu'il devine de leur dimension est qu'elle est plus éthérée que la nôtre.

Lors des contacts médiumniques, il a conscience d'être dans une sorte d'espace de lumière. Il me dit beaucoup aimer ces instants où il voit apparaître les défunts entourés d'un champ lumineux plus ou moins irradiant. La vision de cet embrasement lui indique immédiatement à quelle étape ils en sont. Par moments il peut voir une pure forme uniquement lumineuse, à d'autres ce sont des visages translucides qui apparaissent. Lorsque Henry se trouve avec des défunts qui se montrent dans leur corps, il voit leur rayonnement et c'est saisissant, dit-il avec émotion. Quand cela se produit, il avoue ne plus avoir envie de revenir dans notre réalité.

À cela s'ajoute le fait, souvent mentionné dans diverses traditions et par les médiums, que les défunts peuvent se trouver à des niveaux différents une fois de l'autre côté. L'accès à tel ou tel niveau correspondrait à la compréhension qu'aurait le défunt de son état, à la manière, rapide ou non, dont se serait faite la prise de conscience de sa mort. Ce processus peut être plus ou moins lourd suivant les personnes. Certaines âmes se sentent mal, elles peuvent n'être que partiellement conscientes de ce qui se passe, et ne parviennent pas à se dégager de cette confusion.

Lorsque les défunts ne sont pas conscients d'être morts, en général Henry ne les capte pas. On dit qu'ils se trouvent alors dans une sorte de *sommeil réparateur*. Il est recommandé d'ailleurs d'attendre un peu après un décès avant d'aller voir un médium. Henry préconise un minimum de trois mois (les défunts peuvent communiquer plus tôt, trois mois est une moyenne). Ce temps de sommeil réparateur correspond à une période nécessaire après la mort pour se débarrasser du corps mental. « Ce fameux mental qui nous complique parfois la vie ici, pourquoi de l'autre côté disparaîtrait-il en un clin d'œil ? » remarque Henry. Nos pensées, nos regrets continuent de tourner en boucle. Du temps est nécessaire afin d'y voir plus clair. On peut être conscient d'être mort, complètement conscient, et pourtant ne pas voir les esprits qui viennent nous chercher. Henry a vu des défunts ignorant, ne sentant pas qu'ils étaient entourés de proches dans l'au-delà. Il garde ainsi le souvenir d'une expérience marquante, un jour qu'il entra en contact avec un esprit qui venait de mourir à peine quelques mois auparavant. Imprégné par l'énergie de l'esprit, il percevait ce que lui-même voyait comme des petites séquences. Mais cela défilait à une vitesse indescriptible, et bientôt Henry comprit que cet homme revoyait en fait sans cesse le film de son existence, sans parvenir à s'en dégager. C'était incongru, ça partait dans tous les sens, et tout allait trop vite.

Le défunt peut être également conscient d'être décédé mais freiné par des détails de sa vie terrestre qui ne seraient pas encore réglés. On peut en effet être conscient d'être passé de l'autre côté, mais encore faut-il accepter ses erreurs, pardonner aux vivants.

Et puis il y a ceux qui n'acceptent pas leur départ. Ou ceux encore qui ne sont pas tout à fait dégagés parce qu'ils sentent le besoin d'aide qu'éprouvent les vivants. Ils restent alors pour les soutenir, réparer quelque chose, etc. Les défunts peuvent effectivement être parfaitement dégagés mais le besoin des vivants crée une énergie qui les retient dans un plan moins élevé, alors qu'ils seraient en mesure d'évoluer vers un autre niveau spirituel. D'une certaine manière, ils se retiennent pour nous. Henry insiste d'ailleurs sur ce point, lui qui est souvent témoin du poids parfois mortifère de liens émotionnels trop importants que la douleur empêche les vivants de faire évoluer. Pour Henry comme pour tous les autres médiums que j'ai consultés, il faut savoir laisser les défunts suivre leur chemin. Ils le répètent souvent à leurs clients : nos défunts doivent évoluer de leur côté. La mort ne signifie pas qu'ils nous ont abandonnés. Il faut essayer de se mettre à leur place et envisager que ne pas vouloir évoluer dans notre souffrance peut les culpabiliser. Par là nous les attirons sans cesse à nous.

Dans de telles situations, imaginez-les en témoins impuissants de nos douleurs. Comment pensez-vous que ceux que nous avons perdus aimeraient que nous vivions ? Ils sont vivants. Tout ne s'est pas arrêté avec leur départ, tout n'est pas figé dans la souffrance, même si l'absence créée par un décès laisse penser à ceux qui restent, à nous, que c'est le cas. Il faut penser à eux comme à des êtres qui poursuivent leur vie.

C'est aussi là qu'Henry fait preuve de cohérence en appelant les gens à ne pas abuser des consultations médiumniques. Il fait ce même constat que les psychologues : nous sommes dans le monde des vivants et la souffrance d'une perte s'atténue lorsque l'on s'engage dans un processus de deuil, ce qui consiste justement à apprendre à vivre avec l'absence, à élaborer une autre relation[1]. Aussi, lorsqu'on a eu la chance d'avoir une fois, avec un médium ou de soi-même, une manifestation vraiment probante, il faut savoir mesurer combien c'est exceptionnel. « Et remercier, dit Henry. Si l'on demande tout le temps un contact, ça peut être paralysant pour l'esprit car lui n'est plus à même de faire le cheminement qui est le sien. N'oublions jamais que nous sommes toujours reliés à eux, même si l'on n'a pas le contact. »

---

1. Voir à ce sujet l'entretien avec le Dr Christophe Fauré, p. 257.

Dominique

Je retrouve la médium Dominique Vallée à son domicile situé en grande banlieue parisienne. Le soleil inonde le petit jardin auquel on accède par une véranda de taille modeste. C'est dans cette pièce d'une grande clarté que Dominique fait d'ordinaire ses consultations. Mais nous allons préférer l'intérieur, et son chien qui me fait une fête depuis mon arrivée nous y suit en bondissant de tous côtés.

Dominique a les yeux rieurs et pétillants. Je la connais depuis plusieurs années, et j'ai pu juger du sérieux de son engagement dans cette activité si particulière. Elle a accepté en toute confiance de participer à ce test, mais je sens qu'elle est terriblement anxieuse. Cela m'inquiète pour la bonne tenue de l'expérience. Aussi je décide de commencer directement la séance avec la photo. Sur le fond cela ne change rien – je lui donne une photo dont elle ne sait rien, et elle ignore l'identité de l'individu –, mais cela permettra dès le départ de se concentrer sur une seule personne, plutôt que de réagir à tous les éventuels esprits qui m'accompagneraient.

Tandis que nous prenons place autour de la table, Dominique me livre ce qu'elle dit systématiquement aux gens qui viennent la voir.

Dans un premier temps, elle explique que la médiumnité n'est pas une baguette magique. Même si un médium a 99 % de réussite, il peut toujours connaître un échec. Les raisons peuvent en être multiples. Par exemple, la personne défunte que l'on cherche à contacter peut être mal partie, ou trop vite, et se trouver dans une *zone de turbulences* où elle cherchera davantage à se rapprocher de la terre qu'à monter. Lorsque les défunts se trouvent dans cette zone, Dominique ne peut paradoxalement pas se connecter. Cela me fait penser à la réflexion d'Henry Vignaud parlant de la nécessité de laisser s'écouler un certain temps entre le moment du décès et le premier contact avec un médium afin que le défunt puisse se détacher. Dominique a observé que la qualité de la communication dépend de la qualité de l'âme qu'elle contacte.

Dans un second temps, elle recommande aux consultants d'enregistrer la séance, et s'ils ne le font pas, au moins de noter ce qui est dit pour que des éléments ne soient pas perdus. Car si sur le moment certains détails n'évoquent rien, ils peuvent s'avérer déterminants quelques jours plus tard, quand on a pu prendre un peu de distance.

Dominique est très claire enfin sur la façon dont doit débuter une séance : alors que le défunt va chercher à se faire identifier, elle ne veut connaître aucun détail, n'entendre aucune question. Moins elle sait de choses, plus elle est efficace. Aussi, dans cette première phase, elle demande uniquement aux clients de répondre par oui ou par non aux questions précises qu'elle pose, sans fournir aucune autre explication. À ce stade, elle a juste besoin de ces orientations pour savoir si oui ou non elle est en contact avec le bon défunt.

Manifestement, et je ne vais cesser de m'en rendre

compte, cette nécessité d'identification révèle une chose majeure : il y a du monde là-haut, il conviendrait d'ailleurs plutôt de dire qu'il y a du monde *autour de nous*. Si je devais tenter une image, je choisirais ceci : lorsque le médium se met psychiquement en situation de réception et ouvre ses *portes de perception*, il se retrouve éclairé par un puissant projecteur dans un monde parallèle, le monde des morts ; il devient visible pour beaucoup de défunts, et attirés par cet être vivant qui semble les voir et les entendre, de nombreux disparus s'approchent, impatients de pouvoir communiquer.

Petite remarque en passant : quand vous faites du spiritisme pour *vous amuser*, il se produit exactement la même chose ; vous braquez un projecteur sur vous, et devenez visible dans le monde des morts. En général, ceux qui errent à la recherche d'un peu de lumière ne sont pas ceux que vous auriez envie d'inviter à dîner. Mais une fois que vous leur avez fait coucou, ils peuvent trouver la maison accueillante. Alors un conseil : ne jouez pas à ça, ce n'est pas un jeu.

Tous les médiums se protègent, et savent comment le faire. Henry me confiait d'ailleurs à la fin de notre entretien qu'il avait longtemps été envahi contre son gré. Toutes et tous rappellent combien il faut être vigilant, car deux forces sont présentes : le négatif comme le positif. En ce sens, le plan spirituel n'est d'ailleurs pas si différent de notre monde matériel où la lumière côtoie l'ombre la plus sordide. Chaque monde est le reflet de l'autre.

La photo est posée à plat sur la table. Dominique a tenu à me faire ce préambule sans la regarder, puis ses yeux descendent sur mon père, ses doigts effleurent l'image, et cela commence instantanément.

– Ouh là, il y a un problème cardiaque… il a du mal à respirer.

La réaction de Dominique est très soudaine, et physique, comme si son propre corps avait fait caisse de résonance. Je lui demande :

– Que ressens-tu ?

– Oh la vache ! Je l'ai depuis un moment, ce monsieur. Il y a quand même une ressemblance. C'est ton papa ?

– Oui.

Avec honnêteté, Dominique me fait comprendre que cette information est une déduction et non une perception. Mais comme je l'ai expliqué précédemment, je ne fais pas de cette reconnaissance un élément recevable du test.

– Voir la photo m'a fait monter en émotion. Je le sentais très gêné au niveau respiratoire. Alors que je te parlais au début, je devais déjà commencer à travailler avec lui parce que j'avais du mal à respirer. Il a eu ce problème ?

– Oui.

– C'est quelqu'un qui est un peu coupé en deux, ton papa, il peut être assez dur et en même temps c'est quelqu'un qui a de l'humour, c'est un grand sensible aussi… il y a beaucoup d'émotion, en tout cas il m'a presque fait pleurer…

« Un grand sensible ». Mon père donnait l'image d'un homme vivant dans sa bulle. Mais lors des rares moments où il s'autorisait à sortir un peu de sa carapace et à laisser s'exprimer son émotion, elle le submergeait. Ainsi, il y a de cela bien des années, alors que jeune journaliste je n'avais de cesse de lui demander des conseils d'écriture, il avait saisi sur son bureau un exemplaire des œuvres de Nicolas Gogol dans la Pléiade, et entrepris de me lire un passage de la nouvelle *Le Manteau*, à haute voix pour m'en faire entendre la musicalité. Nous étions sortis sur la terrasse, devant son atelier, mais après quelques phrases ses larmes l'avaient très vite arrêté, bouleversé par ce qu'il était en train de lire. Voilà une leçon que je n'ai pas oubliée. Quelques phrases bien senties, sobres et justes, de ce grand écrivain russe avaient fait éclore la détresse du personnage de cette nouvelle, Akaki Akakievitch, dans le cœur de mon père. Certes les écrivains russes sont de grands auteurs, assurément, mais on peut malgré tout qualifier mon père d'« homme sensible ». Un émotif sous une épaisse carapace d'acier.

Mais les carapaces, si épaisses qu'elles soient, ne nous protègent que de l'extérieur. En aucun cas de ce qui bouillonne au fond de soi.

– Bon, je connais l'histoire de Thomas, et je sais que ça interfère, reprend Dominique, mais une chose est sûre : il ne s'en est pas remis. Il me dit qu'il ne s'en est pas remis... Il y a aussi peut-être un fond de culpabilité de sa part. Pas dans l'accident lui-même, mais une culpabilité en tant que père, en rapport avec la personnalité de Thomas, tu vois ?

– Oui.

L'histoire de la mort de mon frère Thomas est connue de Dominique, comme de quasiment tous les médiums que je suis allé voir. Cependant, cet événement a sans doute un écho plus important en elle, car elle a elle-même perdu son fils la même année où j'ai perdu mon frère. Et son fils s'appelait également Thomas. Je note toutefois qu'un élément lui était inconnu, et que d'ailleurs Henry a perçu également : les relations entre mon frère et mon père. Elle va y revenir.

– Il est très fier de ses enfants, de ce que vous êtes devenus. Ton père s'intéresse à beaucoup de sujets, il y a beaucoup de choses autour de lui, des tableaux, des sculptures, ça le passionne même…

Mon père était peintre et ma mère sculptrice. Dominique semble capter plein de petites informations en même temps qu'elle éprouve des sensations et des sentiments propres à la vie de mon père. Comme si sa médiumnité était *corporelle*. C'est très marqué.

– C'était long son problème de santé… il est parti il n'y a pas très longtemps, n'est-ce pas ?

– Oui.

– Son problème respiratoire a duré longtemps ? Réponds-moi juste par oui ou par non.

– Oui.

– J'ai l'impression que c'est quelque chose qui l'a encombré… j'ai l'idée de l'étouffement… C'est aussi quelqu'un qui peut être très chaleureux, je le vois : il prend dans les bras, il tape dans le dos…

Son problème cardiaque avait très tôt affecté ses poumons, et les derniers mois de la vie de mon père furent difficiles au niveau respiratoire. Je remarque une autre chose curieuse depuis le début de la séance : à chaque fois que Dominique évoque un moment de maladie, mon père la ramène vers des sensations plus agréables. Pourquoi ?

– Il me parle de Coco, il a un perroquet ? C'est quoi Coco ? Ou Cloclo ?

Ma mère s'appelle Claude. Mon père ne l'appelait pas Cloclo mais il employait parfois ce surnom pour plaisanter. Ça commence à être sérieusement intéressant cette séance. Aussi, je réponds à Dominique :

– Il peut s'agir de Claude, ma mère.

La médiumnité est-elle une capacité que l'on hérite de ses ancêtres ? La grand-mère de Dominique Vallée était ce que l'on appelle une « dormeuse ». Une sorte de guérisseuse ou de voyante, ou les deux à la fois, que les gens consultaient à une époque où la médecine n'était pas aussi accessible qu'aujourd'hui, et où aller chez le médecin coûtait cher. On venait voir cette brave femme muni du vêtement de la personne malade. Elle tombait alors en narcolepsie – c'est de là que provient ce terme de « dormeuse » – et pendant cette phase d'étrange somnolence, elle magnétisait le vêtement, annonçait son diagnostic et donnait ses prescriptions. Même si ce terme et cette pratique sont aujourd'hui oubliés, il est manifeste que sa petite-fille a développé très tôt les mêmes dispositions pour le soin et les perceptions subtiles. Mais curieusement, personne ne lui a parlé de cette grand-mère partie avant sa naissance, et ce n'est que sur le tard que Dominique découvrira posséder ces dons.

Pourtant, alors qu'elle est enfant, son père, qui a eu un très grave accident et en garde des douleurs, lui demande souvent d'imposer ses mains sur sa tête. « Qu'est-ce qu'il me fait faire ? C'est n'importe quoi », se dit la jeune fille. Mais sur le commandement de son papa, elle file se laver les mains et s'exécute, sans trop comprendre. Un jour elle surprend une petite phrase énigmatique au détour d'une conversation entre son père et sa mère : « Dominique est comme maman. » Son père a parfaitement compris qu'elle avait hérité des capacités de sa grand-mère, mais c'est la seule occasion où il en parlera. Il n'abordera jamais le sujet avec elle. Comme s'il avait voulu lui cacher cette information jusqu'à la fin de ses jours.

Dominique comprend une fois adulte pourquoi son père n'a jamais encouragé ce don : magnétiseur, ce n'est pas un métier ! Dès lors, après une partie de son enfance passée à la campagne où cette petite fille solitaire prend soin des animaux malades ou blessés sans savoir pourquoi, c'est vers un horizon plus classique que son existence semble s'engager. Mais ne dit-on pas que l'on est toujours rattrapé par son chemin de vie ?

Devenue adolescente, le baccalauréat en poche, Dominique obtient une licence d'histoire-géographie. Mais elle réalise que l'enseignement ne la tente guère, aussi prend-elle une année sabbatique et travaille à la SPA. Bouleversée par ce qu'elle découvre de la misère animale, elle s'oriente vers un certificat d'assistante vétérinaire. C'est alors que finalement les gènes s'expriment : elle se lance dans le soin.

Durant ces années où elle se révèle progressivement à elle-même, l'amour arrive. Elle rencontre un homme et bientôt donne naissance à un enfant. Son mari est un industriel, il travaille dans le bâtiment. Il est à des années-lumière du magnétisme, mais il respecte les choix de sa femme et ne l'empêche pas de poursuivre son activité occasionnelle de guérisseuse. En réalité, ce n'est pas tant qu'il n'y croit pas mais il en a un peu peur. Pas des soins, mais des perceptions de Dominique, de ses ressentis qui s'affinent et qui touchent au sujet si tabou de la mort. Combien d'entre nous préfèrent laisser les portes fermées ? Ne jamais parler de ce sujet ? Y penser le plus tard possible, comme si ça n'allait pas vraiment arriver ?

Le déni est en l'homme. Et plus souvent qu'à son tour, il préfère ne pas regarder en face ce qui dérange, même si cela est inexorable. Surtout si c'est inexorable.

Monsieur travaille, Dominique s'ouvre à l'invisible, mais l'on n'aborde pas le sujet dans le couple. Quant à la belle-famille de Dominique – qui compte plusieurs polytechniciens –, ils voient cette activité de magnétiseuse d'un drôle d'œil. « Je crois que j'aurais fait le trottoir, ça aurait été pareil, ils ne comprenaient pas. » Alors dans ces cas-là, effectivement, il est plus sage de se taire. Ce qu'elle fait pendant toutes ces années.

Pour mille raisons le couple ne tient pas, et un jour Dominique quitte cette vie, et cet homme. Peu de temps après elle décide de se lancer pleinement dans le soin, et ouvre son cabinet à Saint-Germain-en-Laye. Elle a vingt-cinq ans.

L'appel est trop fort. Jusqu'à présent elle recevait chez elle, mais la nécessité d'un cabinet a germé lentement. Pourquoi se lancer à plein temps dans un métier qui fait peur ? Une activité précaire dont on ne peut pas trop parler ? Parce que Dominique n'a pas le choix, tout simplement. Et puis lorsqu'elle soigne, qu'elle apaise une personne, elle en ressent tellement de bien. Elle est à sa place.

À cette époque, Dominique croise la route d'un cancérologue dans une écurie qu'elle fréquente. Elle adore les chevaux, qu'elle soigne encore aujourd'hui d'ailleurs. Lorsque le médecin découvre qu'elle est magnétiseuse, il la considère avec méfiance. Puis ils apprennent à se connaître et un jour cet homme demande à Dominique si elle serait capable de lui enlever une verrue. C'est dans ses cordes. La verrue disparaît. Leurs rapports se réchauffent et deviennent amicaux. Lors d'une discussion quelque temps après, Dominique aperçoit le grand-père décédé du cancérologue se tenant debout à côté de son petit-fils. Elle ne sait pas pourquoi mais elle s'en ouvre à lui, et les détails qu'elle livre au médecin le troublent au plus haut point.

Mais ils troublent Dominique également.

En effet, ces perceptions de défunts durant les séances de magnétisme deviennent de plus en plus présentes. Dominique observe désormais avec régularité que lorsqu'elle travaille en soin sur une personne, elle *reçoit* en parallèle des informations, des images, des flashs. Et donc parfois même des défunts se présentent. C'est embarrassant. Comment se comporter ? Que faire ? Que dire ? Comment annoncer par exemple à cette dame qui vient la voir pour un zona que se tient derrière elle un monsieur avec une belle moustache anglaise, une chemise hawaiienne, et le teint hâlé ? Elle se lance, et la dame de répondre, toute bouleversée : « Mais c'est mon mari, il est mort il y a vingt-cinq ans. »

Est-ce parce qu'à chaque fois que Dominique constate la présence de défunts elle trouve les bons mots ? Toujours est-il que les personnes à qui elle sent qu'elle peut parler de ses perceptions et livrer des messages de leurs défunts réagissent plutôt positivement, et lui sont même reconnaissantes de cette aide inattendue. Notamment cette jeune femme autour de laquelle Dominique distingue un homme simplement vêtu d'un maillot de corps. Sa perception est très frappante parce qu'assez dense : un monsieur avec un maillot de corps, dans une chaleur torride. Confiante dans la netteté de sa sensation, elle décrit sa vision à la jeune fille, et lui demande si elle sait de qui il s'agit. « Non, pas du tout ! » Pourtant, le monsieur se présente comme son père. Dominique le lui dit. Alors la jeune fille réalise : « Oui, mon père, c'est vrai ! Il travaillait dans une fonderie. Je comprends mieux pourquoi le maillot de corps et la chaleur extrême. » Dominique transmet donc le message qu'elle reçoit : cet homme a des choses à se reprocher, il a besoin de demander pardon. À ces mots, la jeune fille éclate en sanglots. Elle révèle bientôt à Dominique avoir subi des violences sexuelles de la part de son père, avec l'accord tacite de sa mère qui n'a jamais rien fait contre. Cette séance de médiumnité spontanée et totalement imprévue marquera le début de la délivrance pour cette jeune femme qui jusqu'alors avait une vie affective désastreuse et portait en elle cette souffrance accumulée. Le poids délétère des non-dits.

Des expériences comme celle-là renforcent également la confiance de Dominique en ses perceptions. Elle sent qu'elle est juste, et que les messages qu'elle transmet sont utiles. Si bien qu'un jour – il y a de cela plus de vingt-cinq ans – elle décide d'arrêter le soin et de se lancer exclusivement dans la médiumnité. Elle ne conçoit pas alors de pouvoir pratiquer les deux activités, magnétiseuse et médium. À ses yeux elle ne serait pas crédible, cela la discréditerait. Elle juge avec le recul avoir fait une grossière erreur car sa décision fut davantage motivée par la crainte d'être mal perçue que par ce qu'elle se sentait capable de faire.

Son activité de médium se met en place doucement, même si à l'époque elle doit lutter contre de lourds préjugés. Mais ça aussi était-ce sans doute écrit ? Est-elle en réalité médium depuis toujours ? Un souvenir d'enfance semble l'attester. Lorsqu'elle était toute petite, Dominique vécut à plusieurs reprises une expérience étrange avec la photo de sa grand-mère, la fameuse dormeuse qu'elle n'avait jamais connue. La photo de la vieille dame figurait dans un cadre accroché au mur dans la maison de ses parents. Dominique se souvient avec netteté de ces moments un peu étranges où la femme sur la photo *descendait* du cadre, venait embrasser Dominique, puis *remontait* dans son cadre. Une perception médiumnique précoce ? Dominique en parla une fois à son père. On aurait dit que la terre s'était ouverte sous ses pieds. Lui qui voulait que sa fille devienne avocate, ou institutrice ! Mais non, le don de la grand-mère était définitivement dans les gènes de la petite.

La séance se poursuit alors que Dominique obtient de mon père des informations de plus en plus précises sur ma mère, sa femme. Il me faut ici apporter une précision pour lever toute ambiguïté. Je sais que l'information selon laquelle mon père est peintre et ma mère sculptrice est accessible à tout le monde, en ligne ou dans mes écrits. Mais c'est tout. Quantité d'autres détails jusqu'à présent livrés par la médium sont, eux, impossibles à trouver nulle part. Sauf à faire partie de ma famille très proche, ce qui n'est pas le cas des médiums.

Je reste cependant très attentif d'une part à ce qui est dit, mais aussi à l'ordre dans lequel surgissent les informations, ainsi qu'à la manière dont elles sont formulées. J'ai ainsi pu observer que lorsque les médiums consultés dans le cadre de ce livre étaient au courant de tel ou tel élément biographique me concernant, ils n'en faisaient pas mystère, comme Dominique qui a été très claire sur sa connaissance de mes recherches après la mort de Thomas, et de mes écrits. Elle n'a pas cherché à faire passer pour une perception ce qu'elle savait par ailleurs. Cela aurait été grossier, et la tricherie identifiable assez aisément. Je dois ajouter à ce propos que les tests menés pour ce livre l'ont été dans un climat de confiance mutuelle. Au plan méthodologique j'ai été parfois très dur et souvent extrêmement exigeant. Mais cela n'empêche pas la confiance. Et j'ai une grande confiance dans les femmes et les hommes que j'ai rencontrés durant ces longs mois d'enquête. Comme eux ont confiance en ma probité.

Aussi, soyons clairs : quand Dominique dit apprendre quelque chose de la part de mon père, je sais qu'elle ne joue pas la comédie. Comme tous les autres médiums dans ce livre. Mais pour conserver une indiscutable objectivité à ce test, je vous propose de n'accorder de crédit qu'aux informations portant sur la personnalité de mon père, les détails de sa fin de vie, sa maladie, ses passions. Ces informations ne sont pas connues en dehors d'un cercle familial très restreint. Enfin, n'oubliez pas que lorsque je vais chez chacun des médiums, ils ignorent quelle va être ma « cible ». Ils ne savent pas qui est la personne sur la photo que je vais leur présenter. Ils ne savent pas qu'il va s'agir de mon père. Et puis dernier petit détail : il y a le test, les objets que j'ai placés dans le cercueil. Or ça, il n'y a qu'un seul être vivant et un défunt au monde qui le sachent : mon père et moi. Et Dominique me réserve une sacrée surprise à ce sujet.

Mais revenons à la séance, et à ma mère.

– Est-ce que cette femme a un problème au niveau des pouces, des mains ?

– Je ne sais pas.

– Comme si elle avait beaucoup travaillé avec ses mains. Elle malaxe, je ne sais pas si c'est une pâte.

Ma mère, je l'ai dit, est sculptrice. Elle m'a confié ne pas spécialement avoir mal aux mains, mais a énormément travaillé la terre. Elle a sculpté la pierre et le bois, mais a fait énormément de poterie, et ne travaille aujourd'hui presque exclusivement plus que la terre.

– C'est quelqu'un qui a beaucoup voyagé, ton papa ?

– Oui.

– Parce que je vois le voyage, c'est un peu un aventurier. Il n'a pas eu une enfance très facile ? Ne s'est-il pas senti abandonné à un moment de son enfance ?

– Je ne sais pas.

– Abandonné soit du fait de l'absence du père, ou de la mère, soit du fait qu'il avait été mis en pension très jeune…

– Je ne sais pas, mais justement, c'est intéressant s'il me donne des éléments que j'ignore mais que je serai en mesure de vérifier ensuite.

Et c'est le cas. Je sais que mon père était fils unique, mais ma mère m'apprend, alors que nous discutons de cette séance des semaines plus tard, avoir eu cette impression que durant l'enfance de mon père, son propre père ne devait pas être très présent. En outre, avec l'éclatement de la guerre puis l'Occupation, mon père, qui était à l'époque un jeune adolescent, partit vivre seul en province. Cette enfance difficile est du reste un élément mentionné par plusieurs autres médiums.

– C'est quelqu'un de très pudique, ton papa, tout ce qui touche à l'intime, il a un peu de mal. Il est venu très rapidement, mais il y a des choses dont il ne parlait pas sur terre, et de l'autre côté il a encore un peu de mal à en parler, c'est sa personnalité… C'est presque comme si la famille de ta maman avait été plus sa famille que sa propre famille à lui.

Voilà un élément étonnant, que là encore j'ignore, et que ma mère va me révéler. Mon père disait à propos des parents de sa femme : « J'ai enfin trouvé ma famille. » Non pas qu'il n'aimait pas ses propres parents, mais il avait découvert une famille nombreuse, peut-être plus joviale, simple… Dominique poursuit.

– C'est comme s'il avait été adopté par la famille de ta maman, qui était peut-être plus chaleureuse, plus olé-olé, plus sympa.

C'est singulier, Dominique me parle avec une apparente aisance, puis son regard part dans le vide quelques secondes, elle écoute avec attention, et transmet dans l'instant ce qu'elle canalise sans que ce va-et-vient paraisse la déranger. Et elle a toujours ces manifestations physiques qui la font se mettre à respirer exactement de la même façon que mon père, cherchant son air par une grande inspiration. Elle ponctue en disant : « Il soupire… » Je croirais le voir en cet instant, c'est saisissant.

– Est-ce qu'il donne des cours ? Il y a du monde autour de lui, des jeunes, et il communique son savoir.

– Oui, il était prof.

– Ah, il était prof ? Pourquoi aussi l'art, la peinture, la sculpture ?

– Il était peintre, c'était sa passion. Son métier était d'enseigner.

Là je n'en reviens tout de même pas de la précision de Dominique. Mais ce n'est pas fini.

– Était-ce lié aux voyages son enseignement ? Parce qu'il me ramène sur des pays…

– Oui, il enseignait la géographie.

– Il était quand même au bout du rouleau, il avait une tristesse en lui. Il essayait de ne pas le montrer pour ta maman, mais ce départ c'est une brisure.

– Ce départ ?

– Celui de Thomas. Il ne comprend pas sa personnalité, il me le redit. Il aurait peut-être dû être un peu plus à son écoute, ou être un peu moins dur. Je crois qu'il y a quelque chose qu'il n'a pas compris ou qu'il n'a peut-être même pas envisagé…

Je l'ai dit plus haut, Thomas souffrait de la distance qu'il sentait entre son père et lui, au point de le lui manifester avec vigueur à plusieurs reprises. Étonnant de voir cet élément resurgir.

– Veut-il en parler ?

– Là-haut ils ont dû en parler. Maintenant c'est comme s'ils pouvaient se toucher… je ne sais pas si c'est une chose qu'ils faisaient souvent, parce que Thomas, c'est un ultrasensible… Qui est Pierre, ou Jean-Pierre ?

– C'est le prénom de mon père : Jean-Pierre.

Cette avalanche de détails est assez époustouflante. Ce n'est pas tant le nom de mon père qui me bouleverse le plus, que ces détails sur sa relation avec mon frère Thomas, son caractère, son émotivité…

– Tu sais, avec la mention de Thomas on entre trop dans l'émotion pour lui. Tout ce chagrin qu'il me fait sentir… en tant que maman qui ai vécu moi-même des choses similaires, il me fait confiance. Enfin je le sens vachement gentil avec moi. C'est comme s'il me disait : « Bon, arrête, ça fait du mal à tout le monde, ça suffit, et puis là-haut on a pu se retrouver. » C'est drôle, à propos de Thomas, on me donne maintenant une image de liberté. Ton frère, c'est comme s'il était avec mon fils. Le mien était chasseur alpin, c'était quelqu'un qui faisait beaucoup de ski, d'escalade, il était très physique. Ils sont deux maintenant, comme s'ils escaladaient. Je vois nos deux Thomas qui escaladent…

Or mon frère Thomas était littéralement dingue d'escalade. Je suis troublé par cette dernière image et je le dis à Dominique qui ne peut s'empêcher d'être elle-même surprise par la netteté de ce qu'elle capte. Le fils de Dominique est parti en 2001, atteint d'une leucémie. La même année que mon frère, je l'ai dit. La maladie l'a emporté en quinze jours. Comment une mère peut-elle concevoir le départ imminent de son fils ? Comment une médium vit-elle la mort d'un être si proche ? L'avait-elle pressenti ? Communique-t-elle avec lui ?

Dominique juge aujourd'hui qu'une part d'elle savait depuis toujours que son fils partirait jeune. Mais bien sûr cela ne fut jamais conscient. « On deviendrait fou ! », dit-elle. Elle n'a réalisé cela que rétrospectivement. Depuis, Dominique a reçu de nombreuses mères ayant vécu ce qu'elle-même avait traversé. Et sans que ces femmes soient elles-mêmes médiums, elles lui ont souvent fait part de cette sensation si particulière : « Au fond de moi, je le savais. »

En dehors de cette sorte d'intuition prémonitoire dont on ne réalise qu'a posteriori l'avoir eue pendant des années, Dominique a eu le sentiment et la chance d'être préservée. Une partie de son cerveau savait mais elle n'a jamais éprouvé de colère de n'avoir pas été prévenue. Qu'est-ce que cela aurait changé, sinon la rendre folle ? Sa médiumnité, dans ce cas, n'a pas fait d'elle une mère différente.

La perte d'un enfant est une souffrance infinie, inextinguible. Dominique ne conserve aucune photo de son fils sur les murs de sa maison. Elle est incapable de les regarder, mais quand Thomas est parti, elle a très vite été témoin de choses qui lui ont fait comprendre qu'il était encore présent. Elle a eu des signes à la pelle – certains même dont elle ne parle pas tant cela semblerait insensé. Un plus que d'autres reste marqué dans sa mémoire. Un jour de mars, les fenêtres étaient grandes ouvertes dans sa chambre, et alors que Dominique tenait un dessin de Thomas dans les mains et lui demandait de lui faire un signe, à cet instant précis une hirondelle est entrée dans la chambre et ressortie aussitôt.

Cette surprise l'a émue profondément, mais c'est sans compter sur ce qui s'est produit quelques heures après : lorsqu'elle s'est rendue au cimetière, elle a découvert posé sur la tombe de Thomas… le corps inerte d'une hirondelle morte. Elle se souvient d'avoir été saisie et submergée d'émotion.

De telles synchronicités sont relativement courantes dans les cas de deuil, au point de faire l'objet de plusieurs programmes de recherche dont les résultats sont extrêmement troublants[1]. Une synchronicité revêt une importance émotionnelle prépondérante pour la personne qui la vit, car celle-ci fait le constat objectif et indiscutable à ses yeux de l'existence d'un lien de *sens* entre différents éléments ou épisodes de sa vie, liens qui ne sont pas attribuables à la loi de cause à effet. Cette caractéristique subtile a pour conséquence de faire dire aux gens rationnels que l'on voit des signes où l'on veut, et que c'est *par hasard* qu'ils se produisent. Ce serait donc par hasard que Dominique demandant un signe à son fils a vu une hirondelle entrer au même instant dans sa chambre, et en a trouvé une morte sur la tombe l'après-midi. Certes. Mais il arrive qu'avec le temps, même les plus cartésiens découvrent que nos ressentis, nos perceptions subjectives sont parfois plus justes que nos certitudes scientifiques. C'est mon cas. En effet, dans le questionnement sans fin qui est le mien depuis la mort de mon frère, j'ai découvert qu'il est parfois irrationnel de passer à côté de tant de signes, au prétexte de vouloir rester rationnel.

Sa médiumnité a-t-elle aidé Dominique dans son deuil ? Oui, même si la perte d'un enfant est une blessure qui ne se

1. Voir Stéphane Allix et Paul Bernstein (dir.), *Expériences extraordinaires. Le manuel clinique*, Dunod/InterEditions, 2013.

referme jamais. On ne fait jamais le deuil d'un enfant. Tous les ans, elle l'imagine âgé d'un an de plus. Il serait peut-être marié aujourd'hui ? Elle-même serait peut-être grand-mère ? La maman en elle, la femme, n'est pas la médium. Elle est amputée à jamais. Cela dit, quand des mères viennent la consulter, elle comprend ce qui est impossible à comprendre pour ceux qui n'ont pas traversé une telle épreuve. Pour sa part, elle sait qu'elle doit avancer, aider les gens, et ne pas se laisser aller. Il y a des femmes qui s'écroulent, ce n'est pas dans sa nature. Le jour des obsèques, sous le choc, elle n'a pas versé une larme, pas une, à tel point qu'elle en était même gênée.

Non, la médiumnité ne guérit pas. Cette remarque de Dominique est importante à retenir, comme nous allons le découvrir lorsque l'on abordera l'éventuel apport d'une consultation chez un médium dans un parcours de deuil, au terme de ce livre. En revanche, là où sa médiumnité lui apporte de l'aide, c'est dans la certitude qu'elle va retrouver son fils. C'est la seule chose dont elle soit totalement convaincue : elle va le retrouver. Elle l'entend aussi parfois. Ces moments sont des instants de grande sérénité. Cela ne se produit pas tous les jours, loin de là, uniquement lorsque Thomas a des choses à dire à sa mère. Elle me le répète, elle n'aime pas regarder des photos de lui car ces images la ramènent au passé, à la douleur. Alors que lorsqu'elle l'entend, il est adulte. Il est l'être qu'il est devenu aujourd'hui.

Elle dit avoir pu avancer grâce au soutien de son fils, et au sentiment d'être utile à ces mamans en deuil qu'elle reçoit. Elle refuse de se sentir victime d'une injustice. Quelle injustice ? Celle de Dieu ? Parce que son fils est mort ? Non.

Dans un processus de deuil, aller voir un médium n'est pas une nécessité. Mais si l'idée prend forme dans l'esprit d'une personne, il ne faut pas la refouler non plus. Car cela peut devenir un accompagnement extrêmement précieux. Une consultation est susceptible d'ouvrir une petite porte, dit Dominique, mais elle prévient aussi qu'en aucun cas il ne faut imaginer que cette séance va régler la souffrance : la médiumnité n'est pas un antidouleur magique.

Dès lors, comme les autres médiums que je connais, elle recommande de ne pas abuser des consultations. Consulter tous les trois mois ne sert à rien. À l'inverse même, l'attente est nécessaire pour laisser le temps à une nouvelle relation de se reconstruire. Une autre relation intégrant l'absence. Entretenir par l'intermédiaire d'un médium une relation artificielle et inchangée avec le défunt, au prétexte que l'on peut communiquer avec lui, n'est pas thérapeutique à moyen terme. Cela peut même devenir un frein au mieux-être.

Et notre mieux-être conditionne celui de nos défunts. Dominique a observé maintes fois en effet qu'à partir du moment où les gens qui viennent la consulter s'apaisent, leurs défunts s'apaisent également.

La consultation médiumnique n'est pas incompatible avec un accompagnement psy, bien au contraire. Il faut juste trouver le psy qui saura ne pas être dans le jugement arbitraire. Ou alors ne pas lui en parler si vous craignez sa réaction. Un de mes amis proches a été contraint de ne pas dire à son psy qu'il était allé voir un médium avec sa femme après la mort de leur enfant. Il en a souffert parce que le psy lui faisait du bien et la consultation avec le médium aussi. Elle lui a d'ailleurs peut-être même sauvé la vie.

Autre activité dans laquelle un médium peut être impliqué concernant toujours les défunts, mais pas ceux qui nous sont proches et pour lesquels on vient consulter : ceux auxquels plus personne ne pense. Ainsi, au début de son activité de médium, alors qu'elle pratique des séances de contact avec des défunts, Dominique est appelée par des gens confrontés à des problèmes dans leur maison, problèmes qu'ils attribuent à des entités demeurant sur place, et à qui il faut gentiment demander de partir. De cette expérience, Dominique ressort convaincue que de telles présences sont en mesure de perturber profondément un être humain. On ressent par exemple de la fatigue, on constate que des choses se passent inexplicablement mal, etc. Ces entités sont en effet un peu des *vampires énergétiques*, elles se nourrissent de l'énergie des gens vivant dans les maisons qu'elles occupent, bien qu'elles n'y aient manifestement plus leur place. Ce tableau assez alarmant n'est pas sans évoquer des films bien connus comme *Sixième Sens*, ou *Les Autres*. Pourtant, à entendre Dominique, ces phénomènes sont parfaitement réels. Mais qui sont ces entités, et pourquoi restent-elles dans les maisons ?

Une des plus spectaculaires expériences qu'ait vécues Dominique s'est déroulée à Orgeval, non loin de Paris. Cela commence par le coup de fil d'une femme qui loue une propriété dans cette ville du département des Yvelines, et pressent que quelque chose ne va pas dans cette maison. D'où son appel à Dominique. À l'en croire, la situation prend même des proportions inquiétantes : tous les membres de la famille font des chutes inexplicables, le mari, les filles ainsi que la mère. Cette dernière dit souffrir de migraines en permanence. Lorsque Dominique se rend dans la propriété, à peine entrée, elle est saisie par l'atmosphère particulière, et doit s'asseoir. « J'ai cru que j'allais me vider. Oui, il y avait un souci dans cette maison », se souvient-elle.

Une fois remise de ses premières émotions, elle pénètre plus avant dans la maison, et subitement voit apparaître des enfants. Une vision difficile à décrire, mais qui pour elle a la force d'un événement réel. « Que s'est-il passé avec des enfants dans cette maison ? » demande-t-elle aux occupants. Ils l'ignorent, mais promettent de se renseigner. Continuant, Dominique voit alors un puits et, dans le puits, découvre l'horreur…

Elle est si bouleversée qu'elle préfère taire cette vision aux occupants afin de ne pas les affoler encore plus. Dominique rentre chez elle imprégnée de la douleur qu'elle y a perçue. Elle sent que cette maison a été le théâtre d'énormément de souffrance impliquant des enfants. À un degré épouvantable. Alors elle se met à prier. Elle s'adresse à ces enfants, leur demandant de quitter cet endroit dans lequel ils ne sont pas bien. Là n'est pas leur place.

Elle revient deux jours après dans la maison. Entre-temps, ses clients ont pu se renseigner auprès du voisin, présent à Orgeval depuis plus longtemps qu'eux. Ils révèlent à Dominique avoir appris que leur maison accueillait des enfants de l'Assistance publique. Placés là autour des années 50, les malheureux n'y étaient pas bien nourris ni correctement soignés, et subissaient des violences de la part d'une triste femme qui, sous couvert de les recueillir, leur faisait vivre un enfer. Et en plus de ces maltraitances, des enfants seraient-ils morts ? La rumeur le raconte.

Dominique comprend mieux : cette masse énorme de chagrin s'est transformée en un égrégore de souffrance. Un égrégore désigne une force psychique générée par les émotions de plusieurs personnes, force qui peut se manifester comme une sorte d'entité, et avoir un comportement autonome. Dans cette maison d'Orgeval, cette masse d'énergie collante imprègne les murs et se mêle aux âmes des enfants errant en ces lieux. Car si elle en croit sa vision, Dominique est certaine que des enfants sont morts dans cette maison, ont été jetés dans le puits ou enterrés dans les sous-sols. Ces petites âmes, dont les corps ne reçurent jamais aucune sépulture, sont restées là parce qu'aucun amour ne les a éclairées.

Après avoir prié une fois chez elle, et s'être adressée avec douceur, bienveillance et amour aux enfants, Dominique a la sensation qu'ils sont partis. Comme si le simple fait de s'adresser à eux de cette manière avait suffi à leur faire comprendre qu'ils n'avaient aucune obligation à être là. De simples mots doux, empreints d'un peu d'amour, les ont libérés. Pour Dominique, en effet, une entité est avant tout une âme qui n'est pas bien, et qui a besoin de partir. Quand elle parvient à l'entendre par son évolution propre, par l'intervention d'un médium ou plus simplement d'une personne bienveillante s'adressant à elle ou offrant ses prières, elle parvient à se dégager des endroits où elle se trouvait coincée. Depuis, la maison d'Orgeval, au dire de la famille qui l'occupe, a retrouvé la paix, à l'instar de l'âme des enfants.

Un épisode assez similaire s'est produit dans une grosse propriété de la région de Limoges. Un couple d'éleveurs de brebis fait un jour appel à Dominique devant la multiplication des phénomènes insolites constatés sur un champ qu'ils viennent d'acquérir pour agrandir leur zone de pâturage. Quand elles s'y trouvent, les brebis ont un comportement erratique, perdent l'appétit, les mères délaissent leurs petits, de sorte que plusieurs sont morts ; des brebis décèdent également. De manière générale, personne ne se sent bien dans ce champ. Jusqu'à la mécanique : le tracteur tombe systématiquement en panne lorsqu'il pénètre sur la parcelle.

En se connectant à ce lieu, Dominique voit des moines, et des événements douloureux qui ont laissé une empreinte dans le sol. Renseignements pris, les agriculteurs apprennent qu'une communauté monastique habitait là voici des siècles. Une importante communauté, vivant de façon autonome. Ils élevaient leur bétail, cultivaient leurs céréales, faisaient leur vin. La peste décima la congrégation. Personne ne vint les aider. Tous les moines moururent dans des souffrances terribles. Les derniers ne furent sans doute pas enterrés, bien entendu. Le temps a passé, mais ces âmes n'ont jamais quitté l'endroit. Dominique explique que les perturbations constatées par tous les témoins étaient en quelque sorte des appels au secours de ces âmes. Pourquoi ainsi ? Comment ? Elle n'en a aucune idée, mais dès l'instant où elle a détecté ces présences et compris ce qui s'était passé, exactement comme elle l'avait fait avec les enfants, mêlant prières et proposition d'aide, elle a permis qu'ils se dégagent.

Que penser de ces deux histoires ? Le fait troublant est que je n'en ai pas juste entendu deux, mais que tous les médiums et autres sensitifs que j'ai pu rencontrer depuis des années témoignent de cas similaires. Et tous posent le même diagnostic : même quand les manifestations inexpliquées sont impressionnantes et inquiétantes, elles indiquent dans l'immense majorité des cas la présence d'âmes égarées, coincées dans leurs peurs, *mais pas méchantes*. Laissons ça aux films de série B. Ces âmes sont terrifiées, et ont besoin d'aide, de lumière et d'amour. Les résultats obtenus en règle générale par les interventions de médiums dont j'ai eu connaissance sont positifs.

Il arrive que ces résultats soient même très spectaculaires, comme il arrive que pas grand-chose ne se produise. Cela peut être dû au fait que l'intervenant n'est pas compétent. On peut également avoir affaire à un charlatan. Dans ce domaine comme partout, on rencontre aussi bien des personnes délibérément mal-intentionnées que des naïfs sans discernement et qui croient bien faire. La psychologie des habitants d'une maison « hantée » est en outre partie prenante dans la résolution ou non de ces phénomènes. Il peut même advenir qu'elle ne soit pas étrangère à leur survenue dans certains cas.

Quand je mentionne la psychologie des habitants d'un lieu, je ne parle pas des gens qui inventent, ou montent des canulars. Non, j'aborde ici un domaine assez mystérieux de la psyché humaine où, pour dire les choses simplement, *rien n'arrive par hasard.*

En gros, âmes errantes, maisons et occupants actuels forment parfois un tout indissociable. Pourquoi un jour arrive-t-on dans telle maison ? Pourquoi se sent-on attiré là plutôt qu'ailleurs ? Certaines maisons nous *appellent*-elles ? Pourquoi le passé d'un lieu que nous occupons, lorsqu'il se révèle, semble avoir tant de similitudes avec le nôtre ? Pourquoi des endroits nous paraissent-ils familiers alors qu'on y met les pieds pour la première fois ? Pourquoi arrive-t-il les mêmes choses aux habitants successifs d'un même lieu ? Autant de questions qui interrogent nos liens conscients et inconscients avec le monde invisible dans lequel nous baignons. Ces liens peuvent avoir mille origines : notre histoire, celles de nos ancêtres, nos fragilités, nos failles, nos dispositions psychiques, etc. Ce domaine sur lequel la parapsychologie scientifique et différentes écoles de psychologie novatrices travaillent depuis des décennies, et que plusieurs psychologues de l'INREES[1] explorent depuis plusieurs

1. Institut de recherche sur les expériences extraordinaires, www.inrees.com.

années, est un terrain de recherche absolument fascinant. Le fait est que ce qui est observé impose de s'interroger.

Pour en revenir aux âmes qui errent, à l'exemple de ces enfants ou de ces moines, se pourrait-il que parmi les gens qui meurent depuis des siècles et des siècles, il y en ait qui ne l'aient pas réalisé ?

D'ailleurs, mon père a-t-il réalisé qu'il était mort ?

C'est vrai après tout : si la mort n'existe pas et que la vie se poursuit, comment sait-on que l'on est mort ? Est-ce qu'on se réveille dans la mort comme si l'on sortait d'un long rêve ? Ou est-ce, à l'inverse, comme si on plongeait dans un rêve sans fin ? Combien parmi les gens qui meurent chaque jour se retrouvent dans ces situations de grande confusion, et se transforment en âmes errantes ?

Dominique m'assure que dans la mesure où aujourd'hui une immense majorité des gens meurent à l'hôpital, le processus de fin de vie leur laisse le temps de s'habituer à l'idée. Les exemples de ces enfants ou ces moines sont des cas extrêmes. Il semblerait que *la façon dont on meurt conditionne notre arrivée dans la mort*, et la leur n'a pas dû être réjouissante. On peut imaginer qu'un individu ayant été assassiné doit être plus enclin à demander de l'aide pour trouver la paix qu'une vieille dame qui s'est lentement éteinte dans son lit. Dominique évoque une sorte de continuité, de similarité entre les circonstances de la fin de vie et du décès, et les premiers pas de l'autre côté. Une vie abominable ne conduit pas d'un coup de baguette magique à une existence pleine de sérénité dans la mort. Raison pour laquelle il conviendrait de balayer un peu devant sa porte, et travailler à améliorer ses défauts de son vivant, pour éviter qu'ils ne nous empoisonnent une fois de l'autre côté.

Mais gardons-nous toutefois d'une lecture peut-être un

peu trop littérale. Quantité d'éléments nous échappent, n'oublions pas ce point important. Dominique prévient d'ailleurs que ce schéma n'est pas systématique. Si une sorte de continuité psychologique semble exister entre la vie, la mort et l'après-mort – et c'est d'ailleurs un concept que l'on retrouve quasiment à l'identique dans plusieurs traditions à travers le monde –, Dominique a déjà rencontré le cas de personnes ayant eu une fin de vie terrible et connaissant la lumière et la sérénité dès leur passage.

La mort, comme la vie, est aussi un espace de rédemption, d'évolution et de croissance. Rien, nulle part, n'est figé dans l'éternité. Et puis il y a des êtres qui nous aident.

Si la mort ressemble un peu à ce qu'on a été durant sa vie, elle en diffère également. Nous n'avons déjà plus de corps, mais quels sont les autres changements ? Qui devient-on quand on est mort ? Arrive-t-on dans un monde semblable au nôtre, dans lequel on croiserait d'autres gens ? Ces questions me semblent encore largement inaccessibles. Comme Henry, Dominique suggère l'existence de différents *plans vibratoires*. On se retrouve sur tel ou tel en fonction de ce que nous avons été de notre vivant. Les défunts évoquent parfois des paysages, de très beaux paysages, mais au-delà ? La mort doit-elle rester invisible aux vivants que nous sommes ?

La dernière partie de la consultation avec Dominique va constituer à cet égard un des événements les plus singuliers qu'il m'ait été donné de vivre pendant ces tests. Comme avec Henry, mon père manifeste sa présence lors de cette séance, je ne peux le nier. Pourtant, il tarde à me dire ce que j'ai mis dans le cercueil. Et ça en devient incompréhensible. Cela aurait-il quelque chose à voir avec l'état dans lequel il se trouve ? Pourtant, Dominique est toujours en contact avec lui.

– C'est un homme très pudique, ton papa. Il m'a donné son problème respiratoire, sa pudeur, son art… il a un côté un petit peu austère aussi. Il a quand même une vie assez linéaire en dehors des voyages. Il est assez structuré, droit, honnête.

Oui, tout cela est exact, mais de la même manière que cela s'est produit avec Henry, je ne comprends pas pourquoi mon père ne lui dit pas ce que j'attends. Juste quelques mots : ce que j'ai mis dans son cercueil. Ce silence sur ce point est un mystère. Pourquoi spontanément, de lui-même, ne dit-il rien ? Je juge qu'il faut maintenant que j'amène prudemment Dominique sur le terrain qui nous intéresse.

– Que peut-il me décrire de sa fin de vie, de ses obsèques, de toute cette période en général ?

– Sur sa fin de vie il dit que c'était long, il était au bout du rouleau. C'était pénible, il devait même être coupé en deux parce qu'il allait laisser sa femme et que ça, pour lui, c'était un drame. C'est clair, mais… c'est un homme qui a du mal à parler ton papa. Je le sens bien, dès que ça va vers quelque chose de sensible, il m'arrête.

– D'accord, mais il a des choses à me dire. Est-ce qu'il voit de quoi je veux parler ?

– Est-ce quelque chose qui peut atteindre sa pudeur ? Parce que si c'est le cas, on va se retrouver bloqués…

J'ai bien l'impression que mon ciblage provoque l'effet inverse. Dominique se sent maintenant sous pression. Et de l'autre côté, elle perçoit que mon père rechigne dès qu'il s'agit d'aborder un sujet sensible. On n'est pas sortis de l'auberge. Mais finalement il en vient à évoquer son enterrement.

– Il n'y avait pas comme un orchestre, un ... qu'est-ce qui s'est passé ? Il y a eu un truc spécial à son enterrement ?

– Tu ressens quoi ?

– Comme s'il y avait eu un orchestre ou quelqu'un qui avait chanté quelque chose pour lui...

– Une personne a joué de la flûte pour lui...

– Je sentais qu'il y avait un truc un petit peu spécial. Mais dès qu'on va dans l'émotion il continue à vouloir me remettre devant des choses plus gaies : « Bon, vous allez arrêter maintenant tous les deux, avec vos trucs et vos machins ! »

– Mais il faut qu'il me donne encore des éléments, il le sait. Je lui en parle souvent...

– S'il veut bien nous répondre, moi je ne suis que le canal. Je ne peux rien, s'il ne veut pas...

– J'ai bien conscience que ça te met dans une espèce de tension...

– Tu l'as déjà fait plusieurs fois ?

Dominique me demande si je suis déjà allé voir plusieurs médiums pour communiquer avec mon père. Elle ne sait rien des autres participants, ni de l'ordre des différentes consultations.

– Oui.

– C'est un peu ce que je craignais, sincèrement : quand on sollicite les défunts plusieurs fois, même si ton père est très sympa, à un moment ils peuvent dire stop.

– Sûrement, mais j'ai aussi la sensation qu'il est vraiment partie prenante dans cette expérience, et que je n'ai pas l'impression de lui forcer la main...

– D'accord...

– Il sait combien ce livre est important. Pas seulement pour moi, mais aussi pour les gens qui le liront... Et puis, honnêtement, je t'avoue que je ne comprends pas. Depuis le début de la séance, je vois bien qu'une connexion est ouverte entre vous : quand tu reprends ta respiration comme lui, que tu me décris son caractère et d'autres éléments… En même temps, il y a aussi des questions que j'aimerais lui poser et j'ai l'impression que si je les lui pose, je ne peux obtenir la réponse. À ton avis, pourquoi est-ce difficile de le questionner ?

– Parce que ce n'est pas l'essentiel ! L'essentiel, c'est ce qu'il nous dit, les choses intimes qu'il donne spontanément : sa fin de vie, ses problèmes pour respirer, ses regrets, sa souffrance pour Thomas. Tu vois ? C'est sa manière de s'identifier auprès de nous. Maintenant, que tu aies des questions importantes pour toi, je le conçois, on peut les lui poser, on verra bien. Il répond ou il ne répond pas, mais je ne peux pas aller le chercher…

– Il s'est passé quelque chose au moment de la mise en bière, quelque chose que je lui ai demandé de garder en souvenir et de redire à un médium. C'est comme un jeu : « S'il y a une vie après la mort, quand tu seras mort, tu diras ça au médium… »

– Ah d'accord, et il y en a d'autres qui ont trouvé ?

– Ne te mets pas de pression, Dominique. Et n'hésite pas à me dire les images qui te viennent, même celles qui te sembleraient les plus absurdes.

– Oui… dis donc, c'est un peu la panne sèche, là…

– C'est toi qui ne perçois pas ou ton appréhension qui joue ?

– C'est un peu le truc piège, tu vois, je me mets des barrières. Déjà, il m'a tellement mise dans l'émotion ton père que maintenant ce n'est même pas que je vais me tromper, c'est que je n'ai rien... je n'ai pas de phrase concrète à te transmettre.

Sans doute me suis-je mal exprimé, car Dominique pense que j'ai demandé à mon père de dire une phrase à mon intention. Du coup, j'imagine la tension qu'elle ressent, alors que déjà obtenir un simple mot est parfois si ardu.

– Peut-être que ton émotion t'empêche de laisser monter les choses ?

– Non... enfin si, peut-être, ça peut jouer. Mais il a été tellement gentil avec moi, ton papa que là, comme je n'ai pas, je me dis que peut-être que ce n'est pas si important pour lui...

– Est-ce moi qui demande trop ?

– Oui, c'est ce que je te dis.

– Pas vis-à-vis de lui, mais de toi ?

– Non, je pense que c'est par rapport à lui. Si tu veux, s'il n'avait pas été précis durant toute la séance, j'aurais été un peu embêtée. Parce que le flou artistique, en médiumnité, ce n'est pas possible. Dans une bonne consultation on doit obtenir des éléments précis dans lesquels on retrouve son défunt. Il ne faut pas se contenter de phrases banales dans le genre : « Il va bien, il vous aime votre papa. » Mais ensuite, c'est comme s'il y avait des limites. Je le sens, comme lorsqu'on botte en touche. Tu as vu, il parle des obsèques, puis tu me poses une question et tout à coup, *niet*. Ça ne veut pas dire que là-haut ça n'existe pas, mais peut-être simplement qu'il trouve que ce n'est pas fondamentalement important. Tu vois ce que je veux dire ?

– Oui, et je constate que quand je communique avec lui à travers toi ou avec un autre médium, ce n'est pas comme si je discutais avec mon père comme autrefois. Il y a des paramètres nouveaux, et c'est ça que j'essaie d'explorer un peu, c'est ça que j'essaie de comprendre. Parce que quand tu me dis que pour lui ce n'est pas important, j'ai un peu de mal à le croire quand même.

– Pour toi, ça l'est ?

– Pour moi ça l'est, et connaissant mon père, je sais que pour lui aussi c'est important. Mais si tu veux, on peut arrêter là…

– Oui, ok, mais tu as compris pourquoi en tant que médium on a du mal à accrocher ? Parce que moi je suis contente du contact que j'ai eu avec ton papa.

– Oui, moi aussi.

– Ça m'embête un peu de ne pas avoir trouvé… mais bon. Merci mon Jean-Pierre.

Je mets fin à l'enregistrement, et nous continuons de parler de choses et d'autres. Je ne révèle néanmoins rien de plus à Dominique. Comme les autres médiums, elle n'aura aucun retour supplémentaire sur sa séance. En fait, comme les autres médiums – et comme vous –, elle ne découvrira les enjeux du test qu'à la lecture de ce livre.

Avant de partir de chez elle, toutefois, je tente le tout pour le tout et lui révèle un ultime détail :

– Je n'ai pas demandé à mon père de te dire une phrase, mais j'ai placé quelque chose dans son cercueil, et lui ai demandé : « Le jour où je vais voir un médium, dis-lui de quoi il s'agit. »

– J'avais compris que tu lui avais demandé de nous faire répéter une phrase…

– J'essayais de formuler les choses sans donner trop la direction.

– C'est un truc dessiné ?

– C'est ce qui te vient ?

– Un truc dessiné comme une bande dessinée ou… un cahier un peu, je ne sais pas… c'est l'image que j'ai…

– Essaie de me décrire ce que tu vois…

– Un petit cahier d'enfant ou quelque chose qu'il te faisait lire… c'est ça ?

Rappelons que j'ai mis dans le cercueil le roman que mon père m'avait fait lire : *Le Désert des Tartares*. Mais Dominique évoque aussi un dessin, un cahier…

– Je ne peux pas te faire de retour.

– … Parce que ça pourrait être lié à l'enfant, reprend-elle, ça pourrait être lié à un truc… un cahier de dessin, cahier de classe avec des dessins dessus…

– Qu'est-ce qui se passe là, tu vois des images ou c'est lui qui te parle ?

– Un bouquin ? Un dessin, un cahier de classe, un carnet, un petit truc comme ça ? C'est l'image que je vois. C'est lui qui me l'envoie, c'est… ou alors il se moque de moi si ce n'est pas ça.

C'est la première fois qu'elle mentionne un « bouquin ». Je sens qu'elle tourne autour, qu'elle brûle, mais qu'entre ce qu'elle perçoit confusément et la manière dont son cerveau l'interprète, se glisse la confusion. Sa propre confusion ou celle de mon père ? Car mon père dans cette affaire, que fait-il ? Est-ce lui qui à nouveau ne parvient pas à se faire comprendre ? Souvenez-vous tout de même que l'exemplaire du *Désert des Tartares* que j'ai glissé dans le cercueil de mon père est une édition de poche… donc un petit format qui pourrait évoquer un carnet.

– Pourquoi mon père ne peut-il s'adresser à toi avec sa voix ?

– Ce que je capte me vient soit en clairaudience – sa voix que j'entends –, soit en clairvoyance – une image qu'il m'envoie. Là, en ce moment, je vois plus des images. Alors est-ce qu'il s'est trompé ? Est-ce qu'on a pollution… ?

– Pollution ? De quoi parles-tu ?

– Des interférences. Mais s'il veut venir, il viendra, je lui fais confiance… je ne sais pas si c'est un livre, ça m'énerve… Qu'est-ce que je disais ? Oui, s'il trouve utile de venir, il viendra.

Encore la mention d'un livre, c'est incroyable. Mais je suis tellement intrigué que ça se passe comme ça. Et comme je n'aide pas du tout Dominique à savoir si ce qu'elle me dit est juste ou non, elle a la sensation de tourner en rond et ne s'arrête sur aucun élément qu'elle perçoit.

– Ton papa nous a dit des choses. Il est tellement dans la sensibilité, tellement dans la gentillesse qu'après, bon, si je ne trouve pas ce que tu as mis dans son cercueil, finalement ce n'est pas très grave…

– Non, et puis ça va peut-être te venir cette nuit.

– Oh, je ne sais pas : pinceau, papier pour dessiner, tube de couleur, avec des paysages, voilà…

Non ! Pourquoi est-ce que ça arrive maintenant ? C'est une blague ? « Pinceau, papier pour dessiner, tube de couleur… » Je n'y crois pas ! Dominique a lâché ces éléments avec une telle désinvolture, pourtant *quelqu'un* vient bien de les lui souffler à l'oreille… Je tente de ne rien montrer de mon état d'excitation. Mon père a péniblement réussi à faire émerger l'idée encore confuse d'un livre dans l'esprit de Dominique, et là, l'air de rien, « pinceau », « tube de couleur » ! Et pas dans une liste de cinquante mots où ils auraient pu correspondre par hasard, non, dans cette phrase : « Pinceau, papier pour dessiner, tube de couleur… »

– C'est ce qui vient, là ? Ce que tu viens de dire, tu le disais en plaisantant ?

– Non, c'est venu… Tu sais, parfois ça vient comme ça, spontanément. Il m'arrive d'obtenir des choses super précises, que l'on a attendues toute la séance sans succès, et qui sont données par le défunt alors que le client s'en va et se trouve sur le pas de la porte. Ça ne s'arrête pas, tu ne coupes pas le fil. Tu vois, ton père va te suivre quand tu vas repartir…

Oui, et il vient en outre précisément de nommer deux des quatre objets que j'ai mis dans son cercueil alors que je mettais fin à l'entretien ! Et ce après être parvenu également à faire émerger l'image du livre dans l'esprit de Dominique…

En rentrant à Paris, je suis sous le choc.

Mon père a-t-il joué avec moi ? Ou bien a-t-il bataillé avec le cerveau sous tension de la médium, puis profité de son relâchement alors que la séance était officiellement terminée, et l'appréhension de Dominique bien moindre, pour parvenir à s'exprimer ?

Et dire que je ne peux partager ma stupeur avec personne. Voilà deux médiums que je vois et deux qui réussissent le test. Pas comme je m'y attendais, mais n'est-ce pas justement parce que cela s'est passé ainsi que j'ai déjà appris tant de choses ? Je suis tellement secoué de sentir mon père là ! C'est si énorme ce que je suis en train de vivre. J'ai vraiment du mal à réaliser.

Allez, papa, on continue ?

Christelle

Christelle Dubois s'est installée en Bretagne, avec sa petite famille, voici quelques années. Elle m'accueille en compagnie de son mari Sébastien dans leur maison située en lisière de village. Leurs deux enfants, un garçon et une fille, sont à l'école.

C'est la première fois que je rencontre Christelle. Nous avons correspondu épisodiquement, notamment au sujet des expérimentations qu'elle avait menées à Toulouse avec le Dr Jean-Jacques Charbonier et dont nous avions rendu compte dans le magazine *Inexploré*[1], mais nous ne nous sommes donc encore jamais croisés. Le Dr Charbonier, médecin-anesthésiste spécialiste des *expériences de mort imminente*, l'avait accueillie dans son hôpital afin de tester une médium dans sa tentative d'entrer en contact avec des personnes dans le coma (je reviendrai plus loin sur cette incroyable collaboration). Lorsque Christelle et moi en avons discuté par téléphone, j'ai perçu en elle quelqu'un de rationnel, les deux pieds sur terre, et très rassurant dans sa démarche.

1. *Inexploré*, n° 18, printemps 2013.

Tandis que je franchis le seuil de sa porte, je la sens ravie de m'accueillir et de participer au test, et en même temps très fébrile. Décidément, moi qui pensais que le fait que je travaille depuis des années sur le sujet de la mort et que je sois familier de la médiumnité rendrait les médiums plus détendus, moins inquiets d'être piégés, en fait c'est l'inverse. Ils stressent tous.

Sans doute autant impatients l'un que l'autre de nous y mettre, nous commençons très vite la séance. Sébastien s'est éclipsé. Dans l'heure qui suit, je dois avouer avoir le sentiment de plus en plus prégnant que mon père est présent. Il est vraiment difficile de décrire cette sensation car elle est nouvelle pour moi. Je suis conscient de mon attente, de mon envie que le test réussisse une troisième fois, et je sais combien cet espoir pourrait influencer mes ressentis. Mais ce n'est pas le cas. Je suis très vigilant sur ce point. Et je *sens* qu'il est là.

Cette sensation naissante est pour moi de plus en plus objective, d'autant qu'elle a été renforcée par les résultats positifs des deux premiers tests : mon père est vraiment partie prenante de ces expériences.

Devant moi, deux êtres essayent d'entrer en contact. Pour ce faire, ils doivent mutuellement fournir des efforts importants. Le médium côté vivant et mon père depuis l'au-delà. Il ne s'agit pas de magie, de religion, de croyance ou de fiction hollywoodienne. Tout cela est bel et bien réel.

Comme avec Dominique Vallée, je glisse d'emblée la photo de mon père sur la table. Christelle le capte instantanément.

– Il vient avec un chapeau… avec plein de paysages.

Il dessine plein de paysages, il y a plein de couleurs. Par contre, il ne vient pas tout seul. Il y a à côté de lui un deuxième monsieur, parti il y a bien longtemps. C'est quelqu'un qui aimait beaucoup voyager. Mais pas forcément physiquement. Le côté voyage qu'il aimait passe aussi par sa culture… Il parle de sa femme… est-elle toujours là ?

– Oui.

Je l'ai dit, pour mon père qui était peintre et enseignait la géographie, la Terre et ses paysages étaient un ravissement. Il effectua plusieurs grands voyages aventureux, notamment en Iran et en Afghanistan dans les années 50. Puis, dans une période plus tardive, les rêves de voyages devinrent plus importants que les voyages eux-mêmes. Moins décevants aussi sans doute. Il nous avoua ainsi que l'âge venant, les noms des lieux qui l'avaient fait si intensément fantasmer lorsque jeune garçon il rêvait devant les pages d'un atlas – comme « Asie centrale », ou « désert du Taklamakan », etc. – et où il s'était rendu adulte constituaient autant de reflets d'une époque révolue. Alors à quoi bon se déplacer ? Un homme de voyage, oui, mais « pas forcément physiquement ». Étonnante et pertinente remarque de Christelle. Mais il est passé à sa femme, ma mère.

– Il faut prendre soin d'elle. Il lui manque énormément. Il fait comme s'il mettait sa main sur la sienne. Il regrette de ne pas l'avoir rassurée… d'accord… on a pensé à lui récemment… c'est ton père ?

– Oui.

– Il me dit que ses jambes lui faisaient mal sur la fin. Il n'aime pas la maladie, il n'aime pas la vieillesse… il rouspète, il grogne un peu sur la fin de sa vie. Comme si sa fin de vie n'avait pas été celle qu'il imaginait. Ce n'est pas comme ça qu'il la voyait… il a perdu un peu la tête ? Il ne savait plus trop où il était les derniers temps de sa vie, non ? Il me dit très fermement : « Ça ne m'a pas plu ! J'ai pas aimé ! »

Une dizaine de jours avant son départ, il se produisit quelque chose de très curieux, et de bien déplaisant pour nous tous. Pourtant épuisé par la maladie, mon père ne parvenait pas à dormir. Sans que nous le sachions et pensant bien faire, le personnel soignant lui donna un somnifère. Ce petit cachet eut des effets hallucinogènes d'une extrême violence sur mon père. En pleine nuit, se croyant en danger, il arracha ses perfusions et tout ce qui se trouvait autour de son lit. Pour qu'il ne se blesse pas, les infirmières, ne pouvant rester à son chevet constamment, l'attachèrent. Ma mère m'en alerta au matin et je suis venu immédiatement.

L'horreur.

Cet homme si sage, si gentil, si poli, d'une immense culture et ayant fait preuve toute sa vie d'une si grande bienveillance envers les autres, attaché à son lit comme s'il était dément.

Cette vision de lui, le regard incrédule, me poursuit.

À peine étais-je entré dans la chambre que je le débarrassai de ses entraves. Je libérai ses mains et ses jambes, jetai ces attaches loin de nos regards, et lui fis la promesse que jamais, jamais plus cela lui ne serait imposé. Il me regarda d'un air un peu perdu.

Même des heures après, il avait encore peine à recouvrer tous ses esprits. À cette seconde, mon frère Simon, ma mère et moi décidâmes de ne plus le laisser seul un instant. Nous allions nous relayer pour passer les journées et surtout les nuits avec lui. Notre détermination et le professionnalisme du personnel soignant firent que cela ne posa pas le moindre problème. Un matelas fut ajouté dans un coin de la chambre.

Et nous nous occupâmes de lui comme jamais mon frère et moi n'aurions pensé être capables de le faire. Cette période fut intense, mais nous étions heureux d'être là et de tenir notre rôle. Mon père, qui avait été si pudique durant toute sa vie, nous confia son corps. Je me doute qu'il n'aimait pas se sentir si diminué dans ses dernières semaines. Donc oui, « il a perdu un peu la tête, il ne savait plus trop où il était les derniers temps de sa vie », tout cela est parfaitement exact.

Christelle l'ignore. Pourtant elle insiste.

– Il n'a pas aimé qu'on l'infantilise, il savait que ce n'était pas fait exprès, qu'il y avait de l'amour, mais il n'aimait pas ça. Il se sentait ridicule... il n'aime pas ce corps sur la fin ... Charlie, tu connais un Charlie ?

– Non, je réponds à Christelle, surpris que l'on passe ainsi du coq à l'âne.

– Il dit : « Mon Charlie. »

– Je ne vois pas.

Je ne comprends pas à quoi pourrait correspondre ce prénom. Il n'existe aucun Charles ou Charlie dans la famille de mon père.

– Ok, je ne comprends pas ce qu'il dit, il est très axé sur son passé, ce monsieur. Il dit qu'il est proche de toi, et que même si pour lui ce n'est pas facile, il vient parce que tu le lui as énormément demandé, et qu'il y a des choses que tu attends.

La netteté avec laquelle Christelle capte tous ces détails est impressionnante. Et voilà que mon père lui dit savoir que j'attends des choses de lui. C'est une confirmation de sa part qu'il est conscient du test que nous faisons. Et je ne suis qu'à moitié étonné qu'il me dise que pour lui ce n'est pas facile.

– Mais ce n'est pas trop son truc, poursuit Christelle, il n'est plus trop axé sur sa vie… euh… a-t-il perdu un frère ?

– Non, pas que je sache…

– Parce que j'ai deux messieurs à côté de lui, et l'un d'eux me donne la sensation d'être son frère. C'est important pour lui de régulariser au niveau de la famille parce que c'était compliqué.

Quelle étrange question. Mon père était fils unique. Il est connu dans la famille que sa mère avait fait avant sa naissance plusieurs fausses couches, et qu'elle dut rester allongée une partie de sa grossesse alors qu'elle attendait mon père. Mais à notre connaissance, aucun autre enfant n'est né. Et, que je sache, rien dans notre famille ne pourrait être qualifié de « compliqué ». Si je m'arrête sur cette information, c'est pour la raison suivante, et c'est ce dernier élément qui est troublant au plus haut point : deux des trois prochains médiums qui participent au test vont aussi évoquer l'existence de ce frère qu'aurait eu mon père. L'un de ces médiums va en outre obtenir un prénom : Charles. Le même que celui que donne Christelle !

La coïncidence est tellement improbable que je ne vais avoir de cesse de me plonger dans des recherches familiales. Elles sont encore en cours.

Parfois, de telles expériences nous conduisent sur des chemins insoupçonnés. À ce jour, je n'ai pas trouvé trace d'un autre enfant né de mes grands-parents paternels. Mais je reste très perturbé par le fait que trois médiums aient signalé l'existence possible de ce frère.

Christelle Dubois est une médium un peu particulière. En effet, cette jeune femme de trente-trois ans exerce le métier d'aide-soignante. Ses deux activités se mêlent pour l'instant sans que l'une prenne le pas sur l'autre. Un pied chez les morts – qu'elle n'aime pas qualifier de «morts» d'ailleurs : ils ne le sont pas –, un autre à l'hôpital. À l'entendre me raconter son enfance, j'ai l'impression d'entendre Henry, ou Dominique.

Dès son plus jeune âge, elle voit en effet des gens au pied de son lit. Ils sont là, puis disparaissent comme des bulles de savon. Elle ne sait pas de qui il s'agit, elle est trop petite pour comprendre que ce qu'elle perçoit est *anormal*. En fait, comme des dizaines de milliers d'autres petites filles et petits garçons à travers le monde, elle est juste plus sensible que les autres enfants. Mais ça fait partie d'elle. Rien de sensationnel. C'est même tellement normal qu'elle n'éprouve pas le besoin d'en parler.

Aussi personne ne lui dit que ces gens qu'elle voit sont morts. Et comme leur état ne se voit pas, elle n'a pas peur. Ces visions se produisent essentiellement dans sa chambre lorsqu'elle se réveille. Quelqu'un se trouve au pied de son lit, il ne bouge pas, ou parfois lui touche les pieds. Une silhouette, parfois plusieurs, des hommes ou des femmes, également des enfants. Souvent les mêmes personnages reviennent. Tout cela est comme un rêve. Ça fait partie de sa réalité. Puis, en grandissant, Christelle se met à entendre la voix de ces êtres jusqu'alors immobiles et silencieux. Des appels à l'aide. Des messages qu'on lui demande de passer.

C'est très jeune également que naît cette envie de devenir soit aide-soignante, soit infirmière. Elle n'a pas dix ans et est déjà fascinée par le côté technique de la médecine. Elle se voit travailler en réanimation, au bloc opératoire. Elle adore visiter les hôpitaux à l'occasion de la visite à un grand-père malade, ou en toutes autres occasions.

Avec l'adolescence elle refoule sa médiumnité. Elle coupe et refuse ses perceptions. À l'époque, elle parvient à le faire spontanément, personne ne lui apprend à se mettre en mode « non-réception ». C'est-à-dire que même si elle reçoit des informations ou entend des voix dans sa tête, elle n'y prête plus aucune attention. Comme lorsqu'une personne parle à côté de vous et qu'ostensiblement vous l'ignorez. La technique s'affine au fur et à mesure, et lui sera fort utile bien plus tard, lorsqu'elle intégrera le milieu médical.

Ne pas entrer dans le dialogue intérieur. Mettre des barrières. Parler soi-même en même temps qu'eux le font dans sa tête. Tandis qu'elle les entend, se mettre soi-même à parler avec sa petite voix intérieure, et dire : « Tais-toi, je ne veux pas t'entendre » ou : « Excusez-moi, mais je ne peux pas. » Généralement, témoigne Christelle, à un moment donné, on ne les entend plus.

Elle ne décide de tout « réouvrir » qu'à l'âge de vingt-quatre, après l'accouchement de sa fille pendant lequel une hémorragie lui a fait frôler la mort. Ce qui la surprend quand elle réalise après coup avoir évité la catastrophe de peu, c'est qu'elle s'est sentie *protégée* durant cet accouchement, même au pire moment. L'angoisse, même les douleurs lui ont été épargnées. Alors elle veut remercier. Et la seule manière de le faire apparaît d'emblée évident pour elle : accepter ces voix qu'elle entendait, accepter ses perceptions médiumniques.

Et tout revient. Même mieux, beaucoup plus canalisé.

Mais c'est tout de même vers le soin qu'elle se dirige. Elle commence par des petits boulots en tant qu'auxiliaire de vie, puis passe le concours d'aide-soignante alors qu'elle est déjà mère de deux enfants. Elle jongle, mais comme elle dit, « on n'a rien sans rien ». Son mari Sébastien la soutient. Ses perceptions ? Elles font partie de sa vie à lui également. Il a eu l'occasion à plusieurs reprises de se rendre compte que ce que sa femme voit n'est pas imaginaire. Notamment quand elle lui donne des informations venant de ses défunts à lui.

Les enfants ? Elle évite de trop en parler avec eux parce que s'ils sont également appelés à développer une forme de sensibilité : elle souhaite qu'ils fassent eux-mêmes l'expérience de l'au-delà. En revanche, à l'occasion du décès d'un animal, elle les sensibilise à la mort. Au fait que l'on peut accompagner un être qui s'en va. Que ce n'est pas noir, que ça fait partie de la vie. Si elle dit tout à son mari – les défunts qu'elle voit dans leur chambre par exemple –, elle fait bien attention que ce ne soit jamais devant les enfants.

Son diplôme d'aide-soignante obtenu, son premier poste la conduit dans… un service de soins palliatifs. Et là, des âmes, elle va en voir.

À l'hôpital, Christelle avait déjà remarqué cela en stage, elle *ressent* les patients. Qu'ils soient vivants ou non, lorsqu'ils arrivent dans le service, elle sait ce qu'ils ont sans avoir besoin de consulter leur dossier. Ses capacités augmentent encore lorsqu'elle fait les soins ou qu'elle les aide à se laver par exemple. Dès qu'elle a un contact physique avec la personne, elle plonge dans son âme.

En outre, lorsqu'elle travaille de nuit, l'atmosphère est propice à la médiumnité. Moins de bruit, moins d'agitation, les énergies sont plus douces. La journée il y a beaucoup d'électricité dans l'air, alors que la nuit on se trouve dans une sorte de bulle qui permet à la médiumnité d'être beaucoup plus facilement ressentie. La nuit, on s'ouvre avec plus d'aisance.

Christelle va connaître beaucoup de services. Elle effectue des remplacements. Mais elle reste toujours extrêmement discrète sur ses perceptions, même si parfois elle laisse échapper des indices. Christelle est très sensible aux toilettes mortuaires, et peut passer deux heures là où ses collègues vont n'avoir besoin que de dix minutes. Parce qu'en plus du travail à faire, elle est très attentive à l'âme de la personne dont elle s'occupe : a-t-elle des choses à dire ? A-t-elle besoin de quelque chose en particulier ? Comme ce grand-père un jour qui lui réclame ses bretelles et son béret…

Cet homme est décédé en milieu de nuit. Mais la toilette mortuaire n'a pu être réalisée parce que la nuit a été chargée et que Christelle et sa collègue avaient d'autres résidents à prendre en charge. Le matin, à l'arrivée de la nouvelle équipe, Christelle informe sa collègue de jour du fait qu'elle veut absolument faire cette toilette. Elles commencent toutes les deux à s'occuper du monsieur. Mais l'aide de jour est énervée. La journée s'annonce bien remplie pour elle, et en plus, à peine arrivée, elle doit se charger d'une toilette mortuaire.

Alors qu'elles s'affairent toutes les deux devant la dépouille du vieil homme, Christelle entend soudain le défunt lui dire : « T'oublieras pas mes bretelles et mon béret. » Elle n'y fait d'abord pas attention, parce que, dit-elle, il arrive aux soignants de parler dans le vide, ou de faire des blagues. Puis la voix revient : « Tu mettras bien mon béret et mes bretelles. » Alors Christelle prend la housse contenant les vêtements apportés par la famille. Elle ignore ce qu'il y a dedans. Elle découvre un costume qui sort du pressing. À nouveau la voix : « N'oublie pas les bretelles et le béret. » Elle dit donc à sa collègue qu'il faut trouver les bretelles et le béret. Sa collègue la regarde sans réagir particulièrement. « Ok, oui, si tu veux. » Quand elle trouve les bretelles derrière le costume, sa collègue commence à regarder Christelle bizarrement. Lorsque le monsieur est habillé, Christelle cherche au fond de la housse et trouve un tout petit sac en plastique qui renferme… le béret. La collègue est cette fois interloquée. Et le monsieur, tout content.

À la question inquiète de sa collègue : « Mais tu avais regardé dans la housse ? » – ce qu'elle n'avait pas fait –, Christelle ne répond pas vraiment, et élude par un éclat de rire. « Oh je t'expliquerai… »

Christelle va se livrer un peu plus à une autre collègue mais par accident. À nouveau à l'occasion d'une toilette, Christelle lui demande abruptement de faire attention en manipulant la personne. L'autre rétorque qu'il s'agit d'un mort. Alors, un peu agacée par ce manque de respect, Christelle lui révèle qu'elle parle avec des défunts. Dans un premier temps l'autre ne réagit pas. Elles n'en reparlent d'ailleurs pas pendant plusieurs jours, jusqu'au moment où toutes les deux vivent la même expérience. À cette époque, une épidémie de grippe a emporté plusieurs personnes en un laps de temps assez court. Ce jour-là, de nouveau pendant la toilette mortuaire d'une dame tout juste décédée, la défunte se manifeste en provoquant un grand courant d'air dans la chambre. Or toutes les fenêtres et la porte sont fermées. Les deux aides-soignantes ont alors en même temps les larmes aux yeux comme si elles venaient de vivre quelque chose d'énergétiquement très fort, tout en ignorant de quoi il retourne – enfin si, Christelle, elle, le sait. Stupéfaite, sa collègue la regarde et dit : « Ah je te crois là, je te crois. Tu parles aux morts ! » Elles sont depuis devenues amies.

En dehors de ce moment, même si Christelle prend en charge des patients en tant qu'aide-soignante et ne ferme pas sa médiumnité, pour les équipes avec lesquelles elle travaille elle reste une collègue parmi d'autres, et n'aborde pas ce sujet.

La médiumnité est-elle une aide dans son travail ? Assurément dans certaines situations. Mais elle lui complique également la tâche car cela la ralentit énormément. Elle reconnaît prendre plus de temps pour ses soins avec les patients en fin de vie. Elle sait qu'ils sont là, et veut faire en sorte qu'ils soient bien, quitte à rester dix minutes de plus dans la chambre. Dans le monde soignant, la mort s'est banalisée, remarque Christelle. On ne prend pas le temps de l'évoquer, on n'ose même pas en parler. Il faut rester soi-disant neutre. En même temps, ce qui est paradoxal, les aides-soignantes, les infirmières, les agents de service hospitaliers, toutes ces femmes et ces hommes en contact avec les patients ont des anecdotes au sujet d'expériences inexpliquées. Mais chacun reste silencieux dans son coin. Personne ne partage ces histoires qui se produisent pourtant en nombre. Le mur du silence n'est pas infranchissable, mais tout de même assez élevé.

Christelle a-t-elle des moments de doute ? Pas sur la réalité de ce qu'elle perçoit. En revanche, elle s'est longuement interrogée sur les explications à donner à ses perceptions. Elle est sûre d'une chose : non, ce n'est pas son imaginaire qui lui joue des tours. Déjà, les innombrables confirmations qu'elle a obtenues tout au long de sa vie lui indiquent qu'elle perçoit des informations justes qui ne viennent pas d'elle, comme les bretelles et le béret du grand-père par exemple.

Et puis elle *sent* quand elle commence à extrapoler. Lorsqu'elle perçoit en médiumnité, elle a la sensation de ne plus commander son cerveau. Les informations arrivent qu'elle le veuille ou non.

Puis elle a parfois des messages qui ne correspondent pas à ses valeurs ou ses pensées. Qui vont même à l'encontre de sa façon d'être. Et il y a cette voix qu'elle entend et qu'elle ne maîtrise pas. Ce n'est pas son mental, c'est même une voix qui de temps en temps a des intonations particulières. Par exemple une voix parfois très cassée quand elle communique avec une personne qui à la fin de sa vie a subi une trachéotomie – détail qu'elle apprend après.

Pourrait-il s'agit de télépathie ? Là encore, Christelle est familière de cette sensation, puisqu'elle utilise aujourd'hui la télépathie pour communiquer avec les personnes atteintes de la maladie d'Alzheimer. Aussi parvient-elle très aisément à faire la différence entre la télépathie et la communication avec des défunts. Avec la télépathie elle dit *entendre* les informations au niveau de son front, alors que les défunts lui parlent à l'oreille, ou juste derrière la tête. Et puis la télépathie, ce n'est pas vraiment une voix mais des images, et en outre elle ne ressent pas l'énergie du défunt : Dans le cas d'une communication avec une entité désincarnée, Christelle dit ressentir une énergie particulière, une énergie de défunt. Dans les communications avec l'au-delà, elle passe par plusieurs paliers, « et l'on ressent cette énergie si typique. On sent une *source* ».

Mais elle a remarqué que dès qu'on lui pose une question précise lors d'une séance, elle a la sensation de basculer au niveau de son mental. C'est comme si elle retombait. Elle doit alors à nouveau réapprendre à se libérer pour remonter vers le côté médiumnique. Mais c'est difficile à faire. Elle *demande à voir*. Il faut qu'elle soit bien posée, puis intérieurement elle demande à recevoir ce qu'elle a à recevoir. Comme si elle enlevait ses oreillettes et se mettait en disponibilité. Elle parvient à le faire instantanément.

Je vais aussi découvrir que dans l'idéal, une fois qu'elle est dans cet état, il ne faudrait pratiquement pas poser de questions et laisser les messages des défunts venir.

Retour en Bretagne. Christelle a évoqué ce mystérieux frère de mon père, mais elle et *lui* sont déjà passés à autre chose.

– Il parle de la petite couverture en laine qu'il avait sur son lit d'hôpital et qui venait de chez lui. Ça lui faisait du bien, ça le rassurait énormément…

Cette couverture, mes parents l'avaient rapportée d'Afghanistan où ils s'étaient rendus après la mort de Thomas. Ma mère la lui avait apportée à l'hôpital parce que mon père l'aimait bien. Il est mort enroulé dedans.

– Il parle de beaucoup de choses ton papa, c'est comme si on avait percé une zone sensible et que maintenant il parvenait à donner des éléments de sa vie. Parce qu'il ne parle pas à n'importe qui ton papa… sur terre il devait être très gentil, mais il devait mettre une sorte de barrière et on n'entrait pas comme ça dans sa bulle…

Cette caractéristique si juste, avec le même terme, « dans sa bulle », ressort pour la troisième fois.

– Il a rejoint ton frère. Par contre il a ce deuxième monsieur et c'est important cette notion de frère, c'était important pour lui aussi de le retrouver.

Encore ce frère ? Cette insistance est déconcertante.

– Quand tu me dis que tu les vois, tu vois quoi en fait ?

– Je les vois. Pas comme je te vois toi parce que tu es matériel et réel, mais je ressens leur présence. Je sais où ils sont dans la pièce. Je les vois *dans ma tête*.

– Mais la photo ? Après que je l'ai sortie, tu l'as regardée à peine trente secondes et ensuite tu ne l'as plus regardée. Alors à quoi sert-elle ?

– Elle m'aide à me mettre sur sa vibration à lui.

– Peux-tu lui demander comment ça s'est passé pour lui après sa mort ?

– Ça a été compliqué. Il avait du mal à lâcher prise. Il avait besoin de dire des choses. Son départ a été… comme s'il fermait les yeux et ne revenait pas. Il y avait très peu de paroles sur les derniers temps. Ça l'a frustré, comme s'il n'avait pas pu finir de dire des choses. Par contre il dit qu'on l'a beaucoup accompagné. Ça l'a aidé à accepter son départ, qu'on l'entoure comme ça. Il dit que quelqu'un était là quand il est parti. Une présence dans la pièce, même avant qu'il s'en aille. Cette présence le rassurait. Il a été très accompagné. Malgré tout il a d'abord eu du mal à s'élever, puis une fois qu'il a compris que l'important n'était pas sur terre mais ailleurs, il a lâché prise. Il était très attendu de l'autre côté. Il me parle de ses angoisses au moment de passer. Cette peur du jugement, ce côté un peu religieux, peur de ne pas savoir où il mettait les pieds… Il parle d'une grande allée, qu'on l'a accueilli dans une grande allée.

Je suis ému par cette description. Oui, nos échanges étaient timides ses dernières semaines. Nous parlions, mais l'essentiel était-il abordé ? Comment y parvenir ? Mon père s'inquiétait énormément de ce qui allait advenir de lui au moment de la mort. Ça le terrifiait. Les derniers temps de sa vie, il dut apprendre à vivre avec cette peur, et cela ne fut pas facile. Son incapacité à dormir notamment était liée à sa grande crainte, celle de partir pendant la nuit et de ne jamais se réveiller au lever du soleil.

– Il tenait à te remercier pour quelque chose que tu as fait après son départ au niveau de l'accompagnement de l'âme. Il te remercie parce qu'il a été soulagé que ça se passe comme ça, comme si ça restait dans la famille…

Les dernières heures de la vie de mon père auront été celles d'un beau dimanche ensoleillé de juin. Papa est inconscient depuis la veille. Je suis seul avec lui depuis plusieurs heures. Maman est partie se reposer à la maison, mon frère Simon va bientôt revenir. Il est 15 h 45. Je remarque que la respiration de papa s'est encore affaiblie. Maintenant, il n'a plus que de micro-inspirations très faibles. Je demande aux infirmières si je devrais appeler ma mère pour lui dire de revenir plus vite que prévu. Elles me répondent que oui, sans doute…

Il ne bouge quasiment plus, plus du tout même.

Une fois ma mère et Simon prévenus, je m'agenouille devant le lit, mon visage près de celui de mon père, si émacié. Ses yeux mi-clos ne vont plus se rouvrir, il est déjà dans le passage.

Son corps est toujours immobile.

Avec beaucoup de délicatesse, je prends sa main dans la mienne. Je le préviens juste avant de ce que je fais afin que le contact, même très doux, de mes doigts sur sa peau ne le surprenne pas. Il est en train de quitter son corps. Ses sensations deviennent subtiles et prennent de la distance avec ce corps. Je ne veux pas l'y ramener par mon geste. Il faut de la douceur. Du calme, du silence, des gestes délicats.

Mon papa est en train de s'en aller.

Puis je lui parle, tout doucement. Le moment est venu, lui dis-je, il ne doit pas avoir de crainte, des gens l'attendent.

Sa mère, son papa, son fils. J'en suis certain. Alors que quelques jours auparavant je m'interrogeais sur la meilleure façon de l'aider en cet instant, les mots sortent maintenant tout seuls. Je ne pense plus. Tout est naturel et spontané et heureux.

Je lui répète de ne pas avoir de craintes. Je lui dis que tout ce qu'il verra et entendra ne sont que des créations de son esprit, que seule compte la lumière. Je lui murmure qu'il est un homme gentil, un mari gentil pour ma mère, et que tout est calme et doux, qu'il n'a rien à craindre là où il glisse.

Il règne alors dans la pièce une incroyable énergie. Une belle énergie. Le moment est intense, essentiel. Ce moment est beau. Je suis heureux d'être là.

Et je *sais* où il va.

Il ne s'agit pas à cette minute d'une connaissance ou d'une information que j'aurais acquise dans un livre ou ailleurs. Cela vient du plus profond de moi. Tout mon corps est habité de cette certitude, de cette *connaissance* de ce qui est en train de se produire. Et c'est extraordinaire. C'est beau ce passage, cette transition. Ce n'est pas la mort, même si nous nous séparons ici. Même si nous n'allons plus nous revoir, la vie ne s'arrête pas. Tout est évident en cet instant. Intense, vrai, simple.

La vie ne s'arrête pas. La mort n'existe pas.

Nous sommes dans un moment de dissolution. La vie de mon père se transforme. Elle se métamorphose en se détachant cellule par cellule de la matière, et est en train de redevenir lumière.

Mon père est en train de *naître autre part*.

Je suis traversé par cette énergie. Par moments, des vagues d'une colossale émotion me secouent brièvement. Je dis à mon père mon bonheur et ma fierté d'avoir été son fils. Il m'a donné tout ce qu'un père peut donner d'essentiel à un enfant. C'est un homme bien à qui je dis au revoir. Et je l'accompagne avec ces mots qui sortent tout seuls et que je répète sans cesse. Je lui dis que je l'aime, que tout est calme, serein, tranquille. Je lui parle d'une voix paisible. Extrêmement attentif à ne proférer aucun mot négatif, vigilant à ce que mon ton et le choix de mes expressions soient le plus justes, le plus tranquilles, et le plus apaisés possible.

Je lui parle sans cesse de la lumière qu'il doit déjà apercevoir.

J'ai durant cette heure la sensation *physique* qu'il est en train de se jeter dans un tourbillon d'émotions et d'énergie, et que dans ce maelstrom seule la lumière pourra stabiliser son esprit. Je ne cesse de le lui rappeler. Je l'invite à repérer cette lumière, puis à y glisser, à y plonger, à se laisser entourer par elle. À se laisser flotter dans la lumière. Et je le répète encore et encore.

Ma mère arrive et entre dans la chambre. Elle prend ma place à côté de papa et je m'assieds en face. Je vais continuer à m'adresser à lui, à le guider par intermittences, aux instants où ma mère ne lui parle pas elle-même. Puis le souffle de mon père se fait de plus en plus faible. Puis ses derniers mouvements, de petits tressaillements sur la peau de son cou, cessent.

Il n'y aura pas d'expiration importante, pas de mouvement brusque, pas de bruit… juste une respiration devenue si mince qu'elle s'arrête sans qu'on en soit vraiment sûr. Il n'a aucune détente musculaire, ne montre aucun signe. Je place mes lunettes devant sa bouche pour voir si un léger souffle embue le verre. Rien. Je prends son pouls et c'est là que je réalise qu'il ne bat plus.

Une mort imperceptible et si discrète.

Simon arrive à cet instant dans la chambre. Nous sommes tous les trois avec papa.

Que vient-il de se passer ? Pourquoi la vie est là, puis s'arrête-t-elle l'instant d'après ? C'est vraiment un grand mystère à observer. Un mystère éblouissant.

Nous demeurons dans la chambre tous trois autour de sa dépouille abandonnée. En le quittant, la vie a figé ce corps dans le silence. Le froid commence à s'étendre sur son visage maintenant apaisé. Son teint pâlit. La vie est partie ailleurs.

C'est le jour de la fête des Pères.

Lorsqu'on se penche sérieusement sur l'étude du sujet, comme je le fais en qualité de journaliste depuis des années, on découvre assez rapidement que l'idée que la vie se poursuive après la mort est désormais une hypothèse plus que scientifiquement recevable. Le Dr Jean-Jacques Charbonier notamment défend ce constat avec talent depuis longtemps. Ayant eu connaissance des expériences de Christelle auprès des personnes plongées dans le coma, il lui a proposé de soumettre ses capacités à un examen scientifique.

Je l'ai dit, Jean-Jacques Charbonier est médecin-anesthésiste à Toulouse et spécialiste reconnu des expériences de mort imminente, les fameuses EMI. Il est par ailleurs l'auteur de nombreux livres sur le sujet[1]. Depuis des années, ce médecin n'a de cesse d'expliquer combien ces expériences inexpliquées autour de la mort, au premier

1. Jean-Jacques Charbonier, *Les Sept Bonnes Raisons de croire à l'au-delà*, J'ai Lu, 2014 ; *La Médecine face à l'au-delà*, Trédaniel, 2010.

rang desquelles il place les EMI, constituent des éléments objectifs démontrant que la conscience – notre âme, notre esprit – n'est pas réductible à l'activité de notre cerveau.

Autrement dit, notre esprit *existe* indépendamment de notre corps. De sorte que quand le cerveau meurt, la conscience ne disparaît pas ; elle ne meurt pas.

Il ne s'agit pas ici d'élucubrations d'un médecin isolé, mais d'une hypothèse scientifique qui recueille aujourd'hui un large consensus dans la communauté médicale à travers le monde. En effet, l'accumulation sans précédent d'études et de témoignages[1] allant des EMI[2] aux contacts spontanés avec un défunt, des expériences de médiumnité contrôlées aux recherches sur la conscience rend la vision matérialiste (postulant que la mort est la fin de toute conscience) désormais scientifiquement intenable.

Répétons-le : l'idée que la mort n'existe pas est donc aujourd'hui une hypothèse scientifiquement solide.

Avec les moyens qui sont les siens, le Dr Jean-Jacques Charbonier participe à cet élan de recherche mondial. Avec Christelle, l'expérience consiste à tester ce que personnel soignant et médecins vivent parfois de manière intuitive : le sentiment d'une communication avec des patients plongés dans le coma, ou sous anesthésie générale. Christelle est alors très confiante à l'idée de cette collaboration, car elle vit cela quotidiennement. Mais curieusement l'expérience va se révéler éprouvante pour elle. Christelle sortira totalement épuisée par cette journée qui lui demande beaucoup

1. Stéphane Allix et Paul Bernstein (dir.), *Expériences extraordinaires. Le manuel clinique*, *op. cit.*

2. Pim van Lommel, *Mort ou pas ? Les dernières découvertes médicales sur les EMI*, Dunod/InterEditions, 2012.

plus d'énergie que la communication avec des défunts n'en requiert pour elle habituellement. Et c'est le comateux qui la pompe le plus, davantage que les deux personnes sous anesthésie générale avec lesquelles elle entre en contact avec succès durant la matinée.

Christelle ne sait rien du patient vers lequel Jean-Jacques la conduit, sauf que c'est un homme qui se trouve depuis une petite semaine dans le coma, et que n'étant plus sous sédatifs, il devrait se réveiller. Mais il ne le fait pas.

Lorsqu'elle pénètre dans le bloc de réanimation, Christelle a un petit temps d'hésitation. En effet, dans cet univers médical, elle est aide-soignante et durant quelques secondes elle a du mal à se situer. Et puis elle distingue l'âme du patient en train… de faire les cent pas, manifestement énervée et en colère. Cette perception replace Christelle dans son rôle de médium. Jean-Jacques la laisse seule dans le bloc. Sans dossier médical, sans aucune information.

Dès l'instant où Christelle prend la main du comateux, toutes les infos arrivent. L'homme lui dit s'être retrouvé en réa suite à un « truc qui a pété au niveau de l'estomac ». Il explique ensuite qu'il boit beaucoup, qu'il fume, et qu'il ne fait pas grand cas de sa santé, car étant dépressif il « s'en fout ». Son mal-être est patent. Son sacré caractère aussi. Il donne son âge, puis suivent d'autres éléments sur sa pathologie, ainsi que sur sa vie et sa famille. Tout arrive par saccades, mais très précisément. Enfin il lui révèle être en ce moment même en train de faire un AVC.

Dix minutes après, Jean-Jacques revient dans le bloc et Christelle lui raconte tout, notamment le fait qu'il serait en train de faire un AVC. Le médecin regarde la pupille du patient et constate qu'effectivement il fait un petit accident neurologique. Jean-Jacques rassure Christelle. Dans la situation dans laquelle se trouve cet homme, cela n'a rien d'anormal. Impressionné, il lui confirme la véracité des autres éléments médicaux qu'elle lui a fournis. Le « truc qui a pété au niveau de l'estomac » est traduit en termes médicaux par « rupture aortique » au niveau de l'estomac, ce qui désigne pour vous et moi, effectivement, un « truc qui pète ». Il s'avère que toutes les perceptions d'ordre médical peuvent être immédiatement validées par Jean-Jacques, qui a le dossier en main. Et qui est bluffé. Enfin, en ce qui concerne les informations portant sur ses relations familiales, le médecin devra faire son enquête, notamment auprès de la sœur du patient. Elle confirmera entre autres que son frère a un caractère exécrable et mène une vie de patachon.

Cette expérience indique, s'il en était besoin, que les gens plongés dans un profond coma nous entendent et sont conscients de ce qui se passe autour d'eux alors que leur corps et leur cerveau demeurent sans réaction.

D'ordinaire Christelle ne pousse pas le dialogue avec les comateux aussi loin. Lorsqu'elle est en service, elle essaie de se fermer pour éviter d'être trop dans l'empathie car cela affecterait sa tâche d'aide-soignante. Cette expérience à Toulouse a constitué une première pour elle. Dans sa pratique, le contact se fait plus à travers des intuitions ou des flashs qui lui recommandent certains gestes lorsqu'elle se trouve près d'un patient dans le coma ou en service de réanimation.

Et elle n'est pas la seule à vivre cela. En effet, sans être médium, de nombreuses personnes expérimentent ces moments d'intuition – soignants comme parents : on se *sent* de prendre la main, on est *poussé* à faire tel geste. Est-ce la personne dans le coma qui s'exprime ? Le fait est que l'on *sait* intuitivement ce qu'il faut faire. Cette remarque de Christelle résonne particulièrement en moi après l'expérience que j'ai vécue en accompagnant mon père.

Dans de tels contextes, des personnes témoignent même avoir parfois entendu une voix leur parler. Ce n'est pas mon cas, mais c'est arrivé au Dr Charbonier par exemple, lorsqu'une patiente dans le coma, et intubée, l'a *informé* qu'elle était en train d'étouffer. Sa voix a résonné dans la tête du médecin, qui plutôt que de ne pas y prêter attention a décidé de l'écouter. En vérifiant, il lui a sauvé la vie : elle était bien en train d'étouffer.

À ces sensations de l'ordre de l'intuition s'ajoute pour Christelle la capacité à voir l'âme des comateux. Le patient est couché sur son lit et à côté de lui elle distingue une silhouette un peu laiteuse. À côté, ou au-dessus, ou même plus éloignée du corps physique, se baladant dans les couloirs de l'hôpital par exemple. Dans ce cas-là, Christelle observe la *corde d'argent* qui relie cette silhouette au corps physique. Elle est très visible d'après elle, et l'on peut la sentir énergétiquement. C'est à ses yeux le signe le plus évident qu'il y a encore de la vie, et l'espoir que l'âme réintègre le corps. L'âme apparaît sous la forme d'une silhouette blanchâtre, un peu opaque. À la différence des défunts, Christelle ne voit pas les vêtements lorsqu'il s'agit de l'âme d'une personne dans le coma, juste une silhouette. Et si le comateux est en état de détresse, que l'on pratique sur lui un acharnement médical par exemple, alors qu'il n'existe plus de chances de pouvoir le ranimer, l'âme est grisonnante, c'est le signe qu'il faut laisser la personne partir, pour Christelle. Une âme grisonnante, explique-t-elle, veut s'élever, partir. C'est fini. À l'inverse, une âme blanchâtre, légèrement opaque, est synonyme de vie, signe que la personne peut revenir.

Dans un service de réanimation où elle a travaillé un certain temps de nuit, Christelle a été témoin de phénomènes pour le moins insolites. Chaque nuit, les robinets à cellule photoélectrique se déclenchaient seuls. Il s'agissait de robinets en dessous desquels il fallait passer la main pour que l'eau coule. Or ils se déclenchaient seuls, sans que personne ne passe les mains dessous. Mais personne en chair et en os. Car Christelle a observé que l'âme d'un des patients hospitalisés faisait sa petite balade, et jouait avec les robinets. Celle d'un autre comateux s'amusait à tirer les cheveux des infirmières lorsqu'elles étaient en pause.

Ces expériences font dire à Christelle que contrairement à l'idée selon laquelle les hôpitaux sont remplis d'âmes errantes en souffrance, dans son expérience personnelle elle a plutôt le sentiment que pas mal de comateux s'amusent et se promènent. C'est l'observation de ces formes laiteuses encore reliées par une sorte de cordon ombilical d'argent qui lui permet de faire la différence avec les défunts. S'il y a un fil, c'est coma, s'il n'y a plus de fil, l'âme est dans l'autre monde.

Mais les comateux ne se contentent pas de ces petites promenades dans l'hôpital. Christelle livre que certaines âmes vont dans les sphères immatérielles, tandis que d'autres ne quittent effectivement pas le bloc de réanimation. Celles-ci sollicitent constamment les personnes vivantes. Tentent de communiquer et d'envoyer des signes.

On peut d'ailleurs être très confus dans le coma. En fait, différents types d'états mentaux peuvent être expérimentés, allant de la plus grande confusion à la conscience la plus claire. Certains comprennent aisément ce qui se passe, d'autres rencontrent des défunts, d'autres encore subissent l'évanescence de cet état mental. Mais dans tous les cas, rappelle la médium, ils sont accompagnés, ils ne sont pas seuls. Des défunts, des guides veillent.

Alors que nous poursuivons la séance, mon père en vient à évoquer ses obsèques.

– Il n'a pas eu une cérémonie normale ? me demande Christelle.

– Demande-lui de la décrire.

– Ce n'est pas une cérémonie normale. Quelque chose de particulier a été fait, il parle d'envol, comme si on l'aidait à prendre son envol… il y avait des chants d'oiseaux dehors, comme si la nature se mettait en éveil. Il y a été très sensible…

Ma mère, Simon et moi avons organisé ses obsèques. Tous les trois tenions à ce qu'elles se déroulent à la maison. Le cercueil de mon père a été installé dehors, sur un tapis, et toute la famille et les amis présents ont pris place à l'extérieur, sur la terrasse devant son atelier. Depuis le matin les nuages nous inquiétaient, mais le soleil est apparu et a fait chanter les oiseaux tout le temps de la cérémonie.

– Il me montre comment il était habillé dans le cercueil… il dit qu'il était beau, que ta mère a tout fait pour le rendre beau. Ça l'a réconcilié avec son corps, c'était important. Il n'aimait pas son corps sur la fin de sa vie. Il remercie ta maman pour ce qu'elle lui a donné parce qu'elle s'est investie corps et âme et ça lui a fait un bien fou. « Je voudrais la remercier infiniment de ce geste d'amour qu'elle a su faire pour moi », lui dit-il. Il parle de la bague aussi. Là aussi il voudrait dire merci de la lui avoir laissée. Mais il me montre qu'à un moment on a voulu la lui reprendre et puis on la lui a laissée ensuite…

Maman voulait que mon père soit enterré avec sa bague. Elle la lui a mise au doigt au moment où nous l'avons habillé ensemble pour la mise en bière. Mais j'ai finalement conseillé à ma mère de la lui retirer et de ne la lui remettre qu'au dernier moment. Ce qu'elle a fait.

– Il dit : « Merci, c'était mieux comme ça. » Il ajoute que des choses à lui ont été récupérées, mais qu'une en particulier a été laissée et que c'était important pour lui … il parle de… oh, de quand il était à l'intérieur de sa « boîte ». « Dis-leur que je les aime infiniment. Que même si je n'ai pas su me montrer à la hauteur de ce qu'ils pouvaient attendre à certains moments, dis-leur que je suis bien et que je les aime infiniment… »

J'observe que papa a commencé par évoquer son cercueil et quelque chose d'important qu'on a laissé dedans. Il y est venu complètement de lui-même.

– Il est fixé sur un truc qu'il a laissé sur terre, qu'il faut continuer ou perpétuer. C'est quelque chose de matériel, ça le perturbe, tu as une question à lui poser ?

De quoi veut-il parler ? Mon père avait écrit un petit livre sur ce que représente la peinture pour lui. Il m'avait chargé de le faire publier, ce qui est encore en cours. Est-ce de cela qu'il s'agit ? Ou des objets du test ?

– C'est quoi ce quelque chose de matériel ? je demande à Christelle.

– C'est un objet… non, des objets. Il y en a plusieurs, c'est en rapport avec quelque chose qu'il faisait beaucoup de son vivant. Une activité qu'il faisait tout le temps, un dessin ou quelque chose comme ça. Il me montre des craies… il éclate de rire. Il dit : « Je sais que c'est matériel mais tu ne demandes que ça. » Comme s'il fallait qu'il te donne des choses matérielles. Il parle de quelque chose en attente, une réponse en attente… je ne sais pas, il dit qu'il fait de son mieux, qu'il entend tout ce que tu lui dis. Il éclate de rire parce qu'il dit que parfois il ne peut rien faire… il me dit : « Des fois il est frustré » en parlant de toi. Parce qu'il y a des choses que tu attends énormément et qu'il ne peut pas forcément te donner. Tout ne vient pas comme ça, c'est beaucoup plus compliqué l'au-delà…

Je suis stupéfait. À ce stade, Christelle ne sait pas que j'attends une information précise de la part de mon père. Mais s'il parvient à lui dire tout cela, pourquoi ne donne-t-il pas tout simplement la liste des objets ? « Tout ne vient pas comme ça, c'est beaucoup plus compliqué l'au-delà », je n'en doute pas. Mais s'il est capable de dire ça, il est bien capable de donner aussi une liste, non ? C'est incompréhensible.

– Il te dit : « Ne lâche pas. » J'ai l'impression qu'il se dépêche, comme s'il n'avait pas le temps… il dit vite les choses… il reste très fixé sur des trucs matériels. Tu lui as demandé des choses matérielles ? Il a besoin de montrer des choses matérielles, il me montre plein d'images, plein de trucs…

– Décris-moi ces images.

Pour en avoir accompagné tant, Christelle est devenue familière de ce moment où une personne quitte cette existence. Sa double expérience de soignante et de médium lui confère une expertise assez complète.

En fin de vie, le mourant se met dans une sorte de bulle, les énergies se modifient, et toute personne qui approche va pénétrer dans cette bulle. Aussi, il ne faut pas le faire sans s'annoncer car on entre dans l'intimité du mourant et ça peut être mal vécu. Même et d'ailleurs surtout s'il est inconscient. Il faut le prévenir de chaque chose que l'on fait : si l'on quitte la pièce, si l'on reste. Et si on le touche, il est très important de le prévenir avant, que ce soit pour des soins ou même simplement une caresse : « Je vais te toucher, poser ma main sur ton bras… »

Certains mourants peuvent être gênés de partir en présence de proches. Ils préfèrent mourir seuls. C'est leur moment à eux, c'est intime, et parfois ils ne souhaitent pas le partager. Peut-être parce qu'ils veulent nous protéger aussi, protéger leur famille. Car la fin de vie peut être assez marquante au niveau corporel : la respiration est saccadée, les joues se creusent, le regard se voile pour ceux qui ne ferment pas les yeux…

En règle générale, dans les dernières minutes, quand le passage est si proche, Christelle observe un apaisement total. Quelles qu'aient pu être les peurs ou les craintes avant. Et puis sans doute les mourants voient-ils déjà depuis plusieurs jours ce qui les attend ? Combien de fois Christelle a-t-elle constaté que des patients en fin de vie regardent fixement un point dans leur chambre ? Le regard semble se fixer *dans le vide*. Mais en réalité ils voient souvent la lumière ou des proches décédés. Christelle a eu récemment le cas d'un vieux monsieur qui voyait sa femme venir s'asseoir dans le fauteuil situé à côté de son lit. Elle était décédée six mois avant lui. Ça le rassurait, bien qu'il ne comprenne pas vraiment ce qu'elle venait faire. Il ne réalisait pas qu'elle venait le chercher. Elle était là, tout simplement.

Christelle utilise une expression pour rendre compte de ce qu'elle observe au moment du décès, elle parle de « continuité de l'âme ». Elle reconnaît que le fait de l'observer, de *voir* littéralement que la vie ne s'arrête pas l'aide considérablement dans son travail. D'ailleurs, étant très empathique, si elle n'avait pas ce côté médiumnique, elle n'est pas du tout certaine qu'elle continuerait ce métier, si éprouvant. Aussi, voir cette continuité de l'âme, être témoin de tout ce qui se met en place lors de la mort – les énergies qui bougent, les défunts qui s'activent de l'autre côté, les guides, tout cet univers céleste qui s'anime pour accueillir celui qui est en train de passer –, tout cela donne une autre dimension à la mort.

Christelle sent quand l'ambiance d'une chambre se modifie et que la mort approche. Les vibrations changent. C'est aujourd'hui inexpliqué, il n'empêche que nombre de collègues soignants de Christelle le perçoivent. Cela peut se manifester par de la chair de poule par exemple. On peut avoir la sensation d'être bercé, de se trouver dans quelque chose d'enrobant, une énergie nouvelle, autant de signes du changement vibratoire qui affecte la pièce. Alors l'âme commence son processus de dégagement, et le niveau énergétique monte. À ce moment-là, des personnes dans la pièce peuvent éclater en sanglots. L'intensité de l'instant explique sans doute ce soudain accès d'émotion, bien sûr, mais ce peut être aussi l'effet sur le corps de cette transformation de l'énergie ambiante.

Je peux en témoigner personnellement. Alors que je parle à mon père, qu'il est à moins d'une heure de son départ, soudain des décharges d'émotion me saisissent et me font éclater en sanglots. Mais ce n'est pas de la peine, de la douleur ou de la tristesse. C'est une intensité qui me secoue *physiquement*, comme une vague, intense et puissante. De l'énergie pure.

Christelle dit que cela se produit lorsque les énergies célestes se mélangent aux énergies terrestres. Une sorte de vortex s'ouvre. Un passage, un tunnel descend dans la chambre. Un tunnel dans lequel passent différentes énergies, comme les guides, des défunts. Ils font des allers-retours quand ils n'attendent pas dans la chambre. Il est arrivé à Christelle d'entrer dans une chambre et de tomber sur une dizaine de personnes du *monde céleste*, qui attendaient leur proche en train de s'éteindre dans son lit.

Ce passage, ce sas, ce tunnel a une présence physique.

Christelle le voit, que ce soit à l'hôpital ou dans les cas de fin de vie brutale, accidentelle. Tout le temps.

Après le décès, quelle que soit la manière dont est partie la personne (maladie, accident, etc.), les premières heures qui suivent sont déterminantes. Ce qui vient d'arriver à l'âme est bouleversant. D'une certaine manière, elle est encore en lien avec son corps terrestre, même si ce corps ne sert plus à rien.

L'âme a besoin d'être dans une certaine forme de sérénité. Et la manière dont est traitée l'enveloppe terrestre compte. C'est pour cela notamment que Christelle accorde tant d'importance à la toilette mortuaire. Dans ces premières heures dans l'au-delà, l'âme doit comprendre où elle se trouve. Or elle vient de changer de monde.

Lui parler aide beaucoup.

Christelle rappelle à ce propos qu'en France, rien n'interdit à un membre de la famille de demander à faire lui-même la toilette mortuaire. La loi l'y autorise. Les soignants peuvent avoir la réaction de refuser, mais sachez qu'ils commettent là un abus d'autorité et que vous avez la loi pour vous. Leur rôle est de s'assurer que vous êtes psychologiquement en mesure de le faire, mais pas de vous l'interdire arbitrairement.

À l'hôpital comme aux pompes funèbres d'ailleurs.

Et de leur côté, les pompes funèbres peuvent s'y opposer également et présenter toutes sortes d'arguments pour vous en dissuader, parce qu'impliquer la famille représente une charge et que comme à l'hôpital ils ne veulent pas avoir à gérer ces choses-là.

Christelle insiste toutefois : pour ne pas rendre ce moment encore plus lourd qu'il ne l'est en y ajoutant la culpabilité de ne pas se sentir capable de s'occuper de cela, il reste possible d'accompagner très efficacement son défunt simplement en lui parlant. C'est important de garder cela à l'esprit et de ne pas se dire que le passage de l'être aimé va être impossible parce que la chambre doit être rapidement libérée et le corps envoyé à la chambre froide. À haute voix ou dans sa tête, on peut lui parler et il nous entend. Il convient de lui dire ce qui se passe, lui rappeler qu'il va être bien là où il va. L'inciter à se libérer.

De ce qu'elle perçoit, Christelle explique que de l'autre côté les attendent différents niveaux vibratoires, différentes sphères. Les nouveaux arrivants passent par une sorte de sphère de régénération où ils reprennent de l'énergie. Au-delà, elle ne s'aventure pas à trop de suppositions. Quelles que soient les idées, les intuitions que l'on en ait, on n'en restera pas moins sur des suppositions et des ressentis terrestres.

L'autre côté est un monde plus subtil.

On y retrouve ces niveaux vibratoires, cette hiérarchie. On parle de la « source ». Il y a ceux qui entourent la source, ceux qui s'éloignent de la source. La source ? Peut-être cette fameuse lumière qu'observent tant et tant d'hommes et de femmes qui ont vécu une expérience aux frontières de la mort…

La séance arrive à son dénouement. Mon père est parvenu spontanément à dire à Christelle qu'il sait ce que j'attends de lui. Il fait de son mieux, ajoute-t-il, mais ça n'a pas l'air facile de son côté. Effectivement. Mais pourquoi est-ce difficile ? Pourquoi ne dit-il pas tout simplement le nom des objets que j'ai cachés dans son cercueil ? Christelle dit qu'il parle vite, qu'il lui montre des choses matérielles, plein d'images…

– Décris-moi ces images.

– C'est surtout des petites boîtes en bois dans lesquelles on range des choses… longues, coulissantes. On y range des crayons, beaucoup de craies, de pastels, beaucoup de choses colorées. Il montre aussi… cette histoire de chapeau… de carte ancienne. Ces objets avaient une grande valeur pour lui. Il me montre plein d'objets.

– Dis-moi les objets qu'il te montre.

– En dehors de ça, une grande bibliothèque, des livres, des encyclopédies, des livres qui parlent du monde. Il me montre aussi son bureau, son coin à lui. Il y a encore des choses à lui, des papiers… il dit que c'est normal : « C'est normal le papier, c'est normal »… et il me montre le cercueil… oh j'aime pas ça.

– Quoi ?

– Je n'aime pas quand ils me montrent les cercueils… ça le fait rire… pas moi…

Ça fait rire papa, mais moi moins. Je sens qu'il y est, là. Qu'il tourne autour, qu'il n'arrive pas à saisir suffisamment l'esprit de Christelle. Elle me donne l'impression d'être envahie d'images parmi lesquelles elle ne parvient plus à faire le tri.

– Ne te censure pas, lui dis-je, décris-moi toutes les images qui t'arrivent.

– Il me montre quelque chose en bois qu'on met dans le cercueil, quelque chose qui est vraiment important et qui fait partie de lui. Ce n'est pas sur une photo, mais une chose vraiment matérielle. Il y a plein de boîtes en bois. Plein, plein, plein, pour qu'il puisse y ranger des choses. Beaucoup de petites choses, on dirait des craies, des tubes, il y a beaucoup de pastels, de couleurs pastel… il se fâche, il n'est pas content. Je n'arrive pas à voir ce qu'il veut…

Mais c'est incroyable ! C'est tellement clair pour moi : je suis en train d'assister aux efforts que fait mon père pour transmettre des éléments sur les objets. Résumons : il a fait comprendre à Christelle que j'attends de lui des infos sur des objets mis dans son cercueil, que ces objets sont sa vie. Il a fait naître l'image d'une petite boîte dans laquelle on range des couleurs. Il parle de « tube » de couleur. Il a aussi évoqué les livres, des « livres qui parlent du monde ». J'ai l'impression agaçante de jouer à ce jeu qui consiste à faire deviner à son équipe le nom d'un objet en le mimant. Sauf que là, celui qui mime est mort depuis plus d'un an. Et qu'il commence même à s'énerver, d'après Christelle.

– Je retourne en arrière… il parle du tissu de son cercueil. Il dit : « Le tissu. » D'accord… au niveau des chaussures, il y a quelque chose, euh… oh bon, il montre des détails, on s'en fout un peu.

« Mais NON, on ne s'en fout pas ! » ne puis-je m'empêcher de penser très fort.

– Il me montre plein de choses dans son cercueil. Il y a du blanc, du tissu blanc. Il est axé sur le tissu, il me montre beaucoup d'images…

– C'est quoi ces images ?

– Du tissu blanc… en fait, il y a quelque chose au niveau des pieds que je ne saurais pas dire, j'ai beaucoup de tissu blanc. Comme s'il était recouvert d'un tissu, enfin... je ne veux pas mentaliser quand je ne reçois pas clairement... j'arrête, parce qu'après c'est de la broderie. Je ne vois pas mais je sens que c'est important pour lui, l'intérieur du cercueil. Enfin il appelle ça la « boîte »...

Je rappelle que les objets se trouvent... sous le tissu blanc qui recouvre le corps de mon père. Pour être certain que personne ne les voie par accident, je les ai posés contre ses jambes, loin sous le tissu blanc.

Ce qui est en train de se produire est fascinant. Mais quelque chose ne passe pas. Et pour la première fois, Christelle se rend compte que ça vient peut-être d'elle. Enfin ça ne passe pas... Si, plein de choses passent : sa maladie, sa tête qui tourne, son caractère, son insistance, son énervement. Elle est avec mon père. Elle capte son intention, mais elle est manifestement très impactée par son insistance. Oui, c'est important ce qu'il y a à l'intérieur du cercueil. Christelle l'a compris : « On voit qu'il veut aller dans des choses plus précises », sous le tissu blanc, vers ses pieds... Comment faire pour la détendre ? C'est vraiment un comble d'être si près du but...

– Tu le ressens là ? Il est présent ?

– Oui, il est là, mais un peu en zigzag. Ton frère est là aussi.

– On peut revenir sur les images que tu as eues ?

– Ce sont des images, des sensations, un objet particulier, qui a une importance, quelque chose de familial. Par contre dès que je veux aller dessus, vu que j'ai peur, ça me bloque, il y a le mental derrière et je ne vois rien. Je suis très stressée dès que je mentalise. Je sais que ça coince et que ça l'énerve. Derrière il grogne et du coup je me sabote toute seule... lui, ça l'agace...

– En fait, ce que je lui demande de me dire, c'est ce que j'ai mis dans son cercueil.

– Oh purée… je n'en aurai pas plus.

– Mais que t'a-t-il montré ?

– Une boîte, quelque chose en bois. Quelque chose de long et de fin… pas une canne, c'est plus petit…

Quelque chose de long et de fin, comme une canne mais plus petit. Un pinceau ? Christelle ne le dit pas mais on ne pourrait pas mieux le décrire…

– Je n'en aurai pas plus, tu m'as fixée dessus.

– Il ne fallait pas ?

– Le problème, c'est que quand je me fixe dessus, après je mentalise.

– Je pensais que je t'aiderais à te concentrer.

– Non.

– Que ça te détendrait.

– Non. J'ai bien compris qu'il y avait une histoire avec le cercueil puisqu'il me le montre. Ton père a compris le code, mais c'est moi qui n'arrive pas à voir.

– Mais pourquoi n'arrive-t-il pas à te parler, à te dire simplement : « Carambar » par exemple ?

– Parce que ce n'est pas si facile.

– Pourquoi n'est-ce pas si facile ?

– Je ne sais pas.

– Et pourquoi tu ne sais pas ?

– On t'a dit que tu étais pénible ? (Rire.) Ça arrive souvent en séance. Et si quelque part on te laissait ta part de travail ? Peut-être que de l'autre côté ils ont besoin que l'on chemine ? Que l'on réfléchisse…

– Oui mais là, en l'occurrence, je n'attends pas un conseil pour ma vie personnelle… j'ai un deal avec lui.

– Je sais qu'il y a un deal parce qu'il revient dessus, mais c'est toi qui lui donnes cette mission. Et est-ce véritablement la sienne de l'autre côté ?

– Je le connais, c'est mon père.

– C'est vrai que depuis tout à l'heure il n'arrête pas de montrer cette image. Je suis consciente que ça le fâche parce qu'il aimerait vraiment que ça passe…

– La difficulté vient de la communication entre vous deux ?

– Oui, ce n'est pas facile pour eux de descendre et de transmettre des messages, comme ce n'est pas facile pour nous médiums de monter en vibration et de les atteindre. Alors parfois ils doivent encore plus descendre, parce qu'on est fatigué par exemple. Beaucoup de choses peuvent parasiter.

– Bon, on arrête là ?

– Oui, on arrête… c'est très chouette les couleurs, c'est impressionnant, je n'avais jamais vu autant de couleurs.

– Et lui, il est encore là ?

– Oui.

– Comment sens-tu sa présence ?

– Je sais qu'il est là.

– À ta droite ?

– Oui. Je le sens et dès que je veux le voir, je le vois. Mais dès que je vais ne plus vouloir le voir, je ne verrai plus rien. J'ai appris à canaliser.

– Mais il attend, là ?

– Oui, il attend, ils attendent. Ce sont eux qui jugent du temps qu'ils ont besoin de passer avec nous.

– Et là, il ne dit rien ?

– Non, il attend. Les mains dans le dos…

– Bon … on va lui dire au revoir, alors ?

– Oui, mais il va rester… il est parti il y a combien de temps ?

– Un an et demi.

– C'est ce que je pensais. Une énergie nouvelle.

– Est-ce que ça peut concourir au fait qu'il ait du mal à exprimer les choses ?

– Ça peut, oui. Il se peut qu'il n'ait pas une vibration suffisamment forte pour que je comprenne, et moi qui suis un peu fatiguée, je peine à monter vers lui. Le temps peut jouer, oui. Un an et demi, c'est hier en temps céleste.

Je suis secoué.

J'ai le sentiment d'avoir joué au *Pictionary* avec l'au-delà. Pendant une heure, mon père a fait plein de dessins dans l'esprit de Christelle pour l'amener à comprendre que des objets étaient cachés dans son cercueil, et pour lui désigner ces objets. Ce qui vient de se passer dans cette séance est riche d'enseignement. À mes yeux, le test est très concluant, même s'il n'est pas formellement réussi.

Mais le plus cher à mes yeux est cette complicité extraordinaire que je vois à l'œuvre entre mon père et moi. Elle a survécu à sa mort.

Pierre

Pierre Yonas habite une petite rue au sud du 14e arrondissement de Paris. Comme avant chaque rencontre avec un médium, je m'adresse à haute voix à mon père. Le quartier est désert à cette heure de la matinée. Tout en marchant, je lui demande à nouveau d'avoir la gentillesse de faire l'effort de dire au médium ce qu'il y a de caché dans le cercueil. Je ne sais pas comment il va s'y prendre, ce que ça implique pour lui, mais j'ai compris que ce n'était pas si simple, même si je ne saisis pas complètement pourquoi.

En fait, je ne sais pas *où* se trouve mon père.

Je ne sais pas si le temps a prise sur lui, s'il est encore la même personne que celle que j'ai connue. J'ignore ce qu'il fait, à quoi il ressemble et à quoi ressemble le monde dans lequel il vit.

En fait, j'ignore tout. En dehors du fait qu'il est *en vie*.

C'est déjà pas mal, me direz-vous. Je sais qu'il y a une forme de vie après la mort. Mais au-delà de ce constat, je m'aperçois que mes questions sont devenues encore plus nombreuses qu'auparavant. Et la mort demeure étrange derrière la *muraille immense du brouillard*.

Tandis que j'approche de chez Pierre, j'énumère à

nouveau à haute voix la liste des objets que j'ai placés avec mon père. J'ajoute, en insistant, que s'il n'est pas en mesure de me donner le nom de tous les objets, j'aimerais qu'il parvienne à parler du livre, *Le Désert des Tartares*, et de la boussole. Je sais, ce n'est pas le plus simple.

J'ai rencontré Pierre il y a des années de cela, dans le cadre du tournage d'*Enquêtes extraordinaires*[1], la série de documentaires que je présentais sur M6. Pierre est médium mais aussi guérisseur et voyant. Une triple activité qu'il gère sans difficulté et avec brio. Je suis à la fois très confiant car je connais ses capacités, mais je ne peux m'empêcher d'être inquiet. Ces derniers temps, j'ai eu l'occasion de mesurer combien le paramètre émotionnel, le stress du médium, peut parasiter une séance. Tout cela sans compter sur d'autres facteurs plus énigmatiques.

Non, communiquer avec les morts n'est pas si simple. Et j'espère vraiment que Pierre et mon père vont y parvenir.

Pierre est un enfant de la DDASS. Sa mère, une jeune fille pas même majeure, pleine de rêves et éprise de liberté, fut séduite par un soldat américain stationné en France. Elle tomba enceinte mais le soldat rentra au pays à la fin de son service. Vingt-six jours après sa naissance, Pierre fut abandonné par cette toute jeune maman qui se sentait incapable d'assumer sa maternité seule.

Mais Pierre n'a jamais eu aucun problème d'abandon. Cet homme ressent intensément les choses. C'est une sensation physique chez lui et il a toujours eu l'intuition profonde qu'il avait choisi de s'incarner, choisi sa mère, et lui

1. *Enquêtes extraordinaires*, saisons 1 et 2, *op. cit.*

avait soufflé son prénom à l'oreille. Aussi savait-il dans quelle direction irait sa vie. Pas de rancœur de ce côté-là, aucun ressentiment. Il est toujours allé de l'avant, avec une sacrée force de caractère. Pierre est un homme solide, au sens propre comme au figuré. Une carrure d'athlète aux épaules larges. Alors se plaindre ? Non, jamais. Le problème d'abandon, ce sont les autres qui le projettent sur lui. « J'ai décidé d'être là, j'ai choisi cette maman qui va disparaître et que je vais retrouver. »

Il a quarante-neuf ans aujourd'hui.

Très tôt placé en famille d'accueil, cet enfant est *différent* par son comportement et ses remarques. « Il a bobo là… », dit-il devant un parfait inconnu, pointant du doigt une partie du corps du monsieur. Étonnant quand on découvre par la suite que l'homme en question révèle un problème de santé à l'endroit désigné par le gamin. Que ça se produise une fois, c'est le hasard, mais plusieurs fois, cela met vite l'entourage mal à l'aise.

À ces intuitions fulgurantes s'ajoutent des visions. Cet élément se révèle être une constante dans l'enfance des médiums. Pierre se souvient que lorsque des gens rendaient visite à ses parents adoptifs, par exemple les copains de son père qui venaient jouer au tiercé le dimanche, il voyait les copains en question mais également une dame, un enfant, ou encore un grand-père entrer à leur suite. Il les voyait comme il voyait les autres, mais s'apercevait que pendant toute la durée de leur présence, personne ne leur adressait jamais la parole. Et ça, il ne le comprenait pas.

À cette époque rien ne parasite ses ressentis. Pierre est un enfant, un animal pur avec un pied dans l'au-delà et un pied ici. Il voit donc des morts. C'est pour ça que personne ne leur adresse la parole : les autres ne les voient pas.

Je l'ai dit, Pierre exerce aujourd'hui les trois activités qui sont pour lui indissociables : guérisseur, voyant et médium. Dans le cadre de ses soins, il reçoit beaucoup d'enfants. Nombre d'entre eux se confient à lui et avouent par exemple observer un monsieur dans leur chambre, voir une grand-mère décédée. Ce type de perceptions, comme celles de sa propre enfance, ne sont pas si exceptionnelles, reconnaît-il. Avec plus ou moins d'intensité nous y avons tous eu accès étant enfants. Les accepter dès le plus jeune âge permet qu'elles se développent plus aisément. L'acceptation favorise une connexion plus pure.

Mais la peur est souvent un frein à cette acceptation, la nôtre comme celle de notre entourage, de nos parents. Petit, Pierre se retrouve seul face à ce monde invisible. Et c'est terrorisant au départ car ces manifestations se produisent quand il ne s'y attend pas, la nuit, le jour, n'importe quand. Il les subit. Ce qui lui laisse le souvenir sans doute le plus effrayant c'est de découvrir que personne d'autre que lui ne voit ce qu'il voit. « Pourquoi ? Qu'est-ce qui cloche avec moi ? »

Cela peut se manifester par la vision soudaine d'un défunt alors qu'il est assis sur le banc de touche pendant un match de basket. Ou bien, caché sous les draps, il peut sentir une présence, sortir un œil et se retrouver nez à nez avec le visage d'une dame ou d'un monsieur qui n'habite pas dans la maison. Une autre fois encore, il se trouve chez un ami dont le grand-père habite à la campagne et possède des chevaux. Alors qu'il est dehors, Pierre voit au loin une fille à cheval. Mais plus elle se rapproche, plus elle devient transparente et une fois devant lui, il n'y a plus que le cheval. Et personne dessus. Quand il fait part de ce qu'il vient d'observer et décrit la jeune fille au grand-père, celui-ci devient tout blanc, et s'exclame : « C'est ma sœur qui est morte il y a soixante ans »…

Pierre vit toutes ces années d'enfance et son entrée dans l'adolescence avec la sensation d'être constamment observé, comme s'il n'était jamais seul, pas un instant. Ne pouvoir se confier à quiconque est un déchirement. Comment en parler à ses parents adoptifs, des catholiques qui ne croient pas aux esprits ? Pourtant, on est à la campagne, mais le sujet ne fait pas partie de leur univers.

Alors Pierre se tait et fait face.

Comme Henry Vignaud, il ne va recevoir d'explications sur ce qu'il vit qu'à l'adolescence. Lors d'une rencontre avec un être de lumière.

Une rencontre qui change tout.

Il y a une énorme différence entre l'âme d'un défunt et celle d'un être de lumière qui ne s'est pas incarné : autant l'un peut être inquiétant, autant en présence de l'être de lumière Pierre est dans une confiance, une paix instantanées. Tout devient limpide. La peur disparaît.

Il a alors seize ans. Il se trouve en vacances à Martigues, dans le Sud, chez sa sœur adoptive. Il est allongé dans son lit quand quelque chose le réveille, il ouvre les yeux et découvre soudain devant lui un être qui semble emplir toute la pièce tellement il est imposant. Pierre ne peut plus bouger. L'être est gigantesque, il mesure peut-être deux mètres de hauteur. Pierre se souvient qu'il était parfaitement réveillé. Lorsqu'il a ouvert les yeux, il a tourné la tête et c'est à ce moment-là qu'il a vu cette entité. Dès l'instant où il l'aperçoit, Pierre ne parvient plus à bouger ni la tête ni le corps. Ce qui se trouve devant lui a l'apparence d'un corps humain mais il ne distingue pas de visage. Les mains non plus ne sont pas visibles. L'être est d'un blanc étincelant qui paradoxalement n'éblouit pas Pierre.

Ce qui suit est stupéfiant.

L'être s'approche. Pierre remarque que ses bras se terminent par des doigts anormalement longs, comme des pointes. On dirait un corps d'énergie dont l'extrémité des bras est effilée. Ces extrémités ont une couleur or, tandis que l'être, lui, est très blanc. Il s'approche, lève ses bras et place ses extrémités sur le corps de Pierre, comme le ferait un acupuncteur. Il s'arrête ainsi en plusieurs points sur l'ensemble du corps de Pierre. Celui-ci s'attend à ressentir des piqûres mais au contraire il est surpris de n'avoir aucune douleur. Ce que fait l'être de lumière déclenche même plutôt des sensations agréables.

Pierre est paralysé et dans un état de stupeur indescriptible. Ses émotions à cet instant sont exacerbées. Incapable de bouger, il est quasiment en état de choc et à la fois confiant et apaisé. Dans un réflexe, alors que la tension qu'il ressent lui permet de parvenir très lentement à bouger de nouveau, il tente de repousser cet être d'un coup de pied. Sa jambe engourdie met un temps incroyablement long à réagir. Puis il parvient à la lever et à toucher l'entité. Il sent un choc, une résistance, et presque simultanément l'être disparaît en traversant le mur de la pièce dans un bruit strident.

Ce bruit réveille la sœur de Pierre et son mari. Ils mettent ça sur le compte d'un cauchemar.

Que vient-il de se passer ? Seul face à ce qu'il vit depuis l'enfance, la réaction de Pierre a été progressivement de se distancier de ses perceptions. Elles sont trop incontrôlables, trop envahissantes. Il n'accepte pas de vivre ce qu'il vit. Il ne veut pas être médium, ni posséder ces *outils*, ce *savoir*, ses *capacités*.

Cet être de lumière est venu les réactiver.

Pierre explique aujourd'hui que reconnaître ses capacités

a été comme accepter une mission. Celle d'ouvrir une porte aux défunts. Et il a été guidé dans ce sens.

À vingt-trois ans, il décide d'abandonner la carrière sportive à laquelle il se destinait et se lance dans son activité de guérisseur. La médiumnité s'impose en parallèle tant il voit systématiquement des défunts à côté de ses patients. À ses yeux la médiumnité fait appel à la même énergie que celle qu'il emploie en tant que guérisseur.

Mais l'énergie, ça veut dire quoi ?

Pierre reçoit dans le petit appartement qu'il occupe en rez-de-chaussée. Deux pièces chaleureuses, à l'image de l'homme qui m'invite à entrer en blaguant. Il a l'air détendu, tant mieux. Comme les autres, Pierre ne sait rien de la nature du test. Même si tous les médiums rencontrés se doutent que je ne leur demande pas de faire cette séance pour rien, ils pensent participer à une simple consultation destinée à illustrer la façon dont ils travaillent, et que c'est l'interview qui sera le gros morceau de notre discussion. À ce stade, je n'emploie pas le mot « test » avec eux.

Assis sur le canapé de son salon, je pose la photo de mon père sur la table basse, en indiquant simplement que c'est avec cet homme que je désire communiquer. Pierre prend la photo, la garde dans ses mains et passe son pouce sur le visage de mon père.

– Ça m'a l'air récent ce départ. Très récent, deux ans à peu près ?

– Oui.

– Il me parle de son problème respiratoire, problème d'étouffement. J'ai les poumons qui se compressent. La cage thoracique qui se bloque, c'est normal ?

– Oui.

– Et puis il marche lentement. Comme si on le tenait et qu'il tremblait.

– Oui.

– Ces problèmes respiratoires... j'ai de l'emphysème, j'ai ça quand je pense à lui, c'est le cas ?

– Oui.

Pierre s'est instantanément connecté, semble-t-il. L'insuffisance cardiaque dont souffrait mon père depuis des années avait en effet provoqué ses problèmes aux poumons : un emphysème. C'est à partir du moment où l'emphysème fut diagnostiqué que son état de santé commença à se dégrader.

– Il a du caractère ce monsieur.

– Oui.

– Beaucoup de caractère, mais beaucoup de silence aussi, comme si c'était quelqu'un qui savait ne rien dire... ce sont des énergies qui vous correspondent à tous les deux, il est de ta famille ?

– Oui.

– C'est marrant tous ces livres qu'il a. Beaucoup de livres... l'histoire, toujours basés sur l'histoire. Il est toujours dans l'histoire lui, il est insolite ce monsieur.

– Oui ?

– Très dans l'histoire, il aime l'histoire. Une période particulière, on va dire... un père... c'est ton père ?

– Oui.

– Il y a quelqu'un autour de lui qui aimait beaucoup ce qui était militaire ?

– Dans quel sens ?

– Une histoire au niveau militaire, dans sa famille... armée, militaire... Pas lui mais dans la famille.

– Oui.

– Il a un côté militaire, un côté armée. C'est très familial en tout cas dans son histoire…

– Oui.

Le grand-père de mon père était fils de polytechnicien et polytechnicien lui-même. Il quitta l'armée, où il servit dans une compagnie du génie, avec le grade de capitaine. Par ailleurs, plusieurs oncles de mon père furent également militaires. Sans compter ceux qui furent appelés sous les drapeaux lors de la première guerre mondiale, comme son propre père, Louis, blessé aux pieds. Au-delà de ça, le vif intérêt pour l'histoire que nourrissait mon père le portait à se passionner pour des grandes figures militaires, et des périodes tumultueuses de notre passé. Il considérait *Guerre et Paix* par exemple comme le plus grand livre jamais écrit, et sans exagérer, il dut le lire plus d'une quarantaine de fois.

– C'est un homme avec des principes, une culture, une éducation très ancrée… comme s'il avait survécu à quelque chose d'important qui lui permet d'avoir des valeurs sur la vie… trop peut-être des fois… Il a eu des problèmes de marche ?

– Il peut être plus précis ?

– C'est comme s'il avait eu quelque chose à une jambe.

– À quel moment ?

– Assez tard.

– Oui.

Je l'ai souligné précédemment, l'état de santé de mon père se dégradant, ses jambes le faisaient souffrir. Les derniers temps, mon frère ou moi devions l'aider quand il voulait marcher.

– Comme s'il se penchait, voûté… une grande fatigue.

– Oui.

– Il me parle d'une histoire avec des trains. De lignes de chemin de fer, de trains, de mouvements…

– C'est vague.

– Oui, mais il y a beaucoup de gens qui rentrent dans les trains. Il est spectateur… ça l'a marqué, il est petit. C'est comme s'il avait vécu la guerre.

– C'est le cas, oui.

– Il a vu des tas de choses terribles… il a gardé le silence là-dessus. Il ne vous en a pas parlé. « Ça servait à rien », me dit-il.

– Il te dit ça ?

– Oui… « Ça servait à rien. » Il n'est pas du genre à remuer… ce qui est passé est passé. Il était très jeune…

Cette évocation me remet en mémoire un épisode. Je ne sais plus comment le sujet était venu dans la discussion, mais alors que nous étions tous les deux, mon père en vint à me parler de la seule fois où il avait refusé de serrer la main à un homme. Deux hommes en l'occurrence. Il s'agissait de deux anciens SS, bien après la guerre, qui étaient en affaires avec une de ses connaissances. En apprenant leur passé, il avait donc refusé de les saluer. Ce geste semblait revêtir une telle importance à ses yeux, lui d'ordinaire si conciliant. Mon père se laissait très rarement gagner par l'émotion, vous l'avez compris, mais à cette évocation il avait les larmes aux yeux. Il me confia quelques bribes de ses souvenirs de l'Occupation, et l'image qui avait fait naître une telle haine envers ces deux SS, celle de ces hommes et ces femmes envoyés en déportation – « Même des enfants, tu imagines ? » –, puis il se tut, trop ému pour poursuivre.

– Il y a un homme brun à côté de lui, disparu jeune. Il dit : « Comme un frère. » Il n'a pas perdu un frère jeune ?

– Je ne peux pas te répondre.

– Un brun.

– Je ne peux pas te dire.

– Il répète : « Comme un frère. »

– Peut-il donner des éléments plus précis ?

– J'ai comme un gars qui s'appelait Charlot, quelque chose comme ça. Charles, ça ne te dit rien ?

– Non.

– Tu chercheras... Comme si c'était un frère caché. On me parle de secret, de chose cachée...

– Je l'ignore.

Sans le dire à Pierre, je suis déconcerté. Voilà une deuxième apparition de ce « frère caché », avec le même prénom que celui fourni par Christelle Dubois : Charles. Nous en avons parlé avec ma mère, ça ne lui évoque rien. Mon père devait l'ignorer lui-même. Je ne peux imaginer qu'il ne s'en soit jamais livré à nous, ou à sa femme, s'il avait été au courant. C'est un mystère. Plus personne dans la famille n'est aujourd'hui en vie qui pourrait nous en apprendre plus. Que faire ? Si encore mon père avait eu un ami proche du nom de Charles qu'il aurait pu considérer comme un frère de cœur, mais non, pas un Charles dans son entourage. Pas un. Peut-il s'agir d'un des bébés que ma grand-mère perdit en fausses couches avant la naissance de mon père ? Comment savoir ? Aurai-je un jour le fin mot de l'histoire ?

Une observation a attiré l'attention de Pierre dès son plus jeune âge. Les années passant, il a réalisé qu'un détail qui lui avait semblé aléatoire révélait en réalité une règle systématique.

Les défunts qui se montrent à lui ne parlent pas.

Et ceux qui lui parlent ne se montrent pas.

Il n'y a jamais eu d'exception. De tous les défunts apparus devant lui, dans un corps visible, pas un seul ne lui a adressé la parole. Il les a vus sourire ou être tristes, mais demeurer inlassablement immobiles et silencieux. En outre, ces apparitions sont celles de personnes se montrant sous leur meilleur jour. Jamais il n'a vu apparaître un corps blessé, sanguinolent ou autres visions d'horreur, quelles qu'aient pu être les circonstances du décès de la personne – nous pouvons une nouvelle fois laisser cela au cinéma. Et ceux qui demeurent invisibles, comme mon père en ce moment, *parlent* en glissant des mots dans son esprit, en montrant des images se rapportant à leur apparence, à la manière dont ils sont morts, à mille autres choses. Mais ils restent invisibles.

Pour Pierre, cela est lié à une question d'énergie. L'énergie dont les défunts se servent pour se montrer, pour créer ce *corps* avec lequel ils se rendent visuellement perceptibles doit être tellement importante qu'ils n'en ont pas assez pour faire autre chose que créer cette image dans notre monde. À l'inverse, ceux qui parlent n'ont pas l'énergie ni la force nécessaires pour se montrer dans le même temps.

Tout est énergie, tout est vibration.

L'énergie est la clé qui ouvre l'accès au monde des esprits et rend possible la communication avec les défunts. Pour passer de l'endroit où ils se trouvent à ici – notre monde matériel qui doit engendrer quantité de parasitages –, il leur faut de l'énergie. Beaucoup d'énergie. Pierre utilise l'image d'un voyage qu'ils feraient dans une réalité comptant énormément d'obstacles à éviter : les mauvaises pensées, les autres âmes, l'électricité, les ondes telluriques, etc. Toutes ces choses matérielles qui constituent autant de *vibrations* perturbatrices.

Et du côté de Pierre c'est la même chose. Lui aussi a besoin d'énergie pour se rendre perméable aux messages des défunts. Par exemple, lorsqu'il prend la photo de mon père et la garde dans sa main tout en passant ses doigts dessus, il dit essayer de se mettre dans une énergie la plus simple, la plus animale possible pour *changer d'étage*. Se mettre dans une vibration qui le transporte ailleurs. Une photo c'est de la lumière, de l'énergie subtile, un *pont*.

Oui, quand on observe Pierre, on sent que cette énergie animale déborde les limites de son corps. On le sent prêt à bondir et on imagine sans peine combien ce côté instinctif peut se déclencher rapidement en lui.

Moins il réfléchit, dit-il, mieux il capte.

La réflexion est le poison du ressenti et plus on se pose des questions, plus le ressenti se voile.

En prenant la photo, il fait le vide d'un coup. Il plonge dans un état où il essaye d'être le plus vide et le plus serein possible. Pour y parvenir il oublie qui il est, son caractère, ce qu'il sait faire, tout ce qu'il a appris. Il compare cet état à une amnésie qui durerait une à quelques secondes au grand maximum. Dès lors, il commence à avoir des ressentis physiques nouveaux. C'est un peu comme s'il était là sans être là. Alors sa conscience se modifie et, telle une antenne, il sent que *des choses arrivent en lui*. Sur l'écran vide de son esprit apparaissent des éléments importés. Des traits de caractère surgissent comme des pièces étrangères, inattendues. Ce sont ceux du défunt qui entre en communication en s'installant très subtilement dans la tête de Pierre. Il ressent alors comment était la personne. Ses caractéristiques, étrangères à Pierre, s'imposent comme en surimpression des siennes. Pendant la séance, il se laisse envahir petit à petit par une autre personnalité. Même si ça y ressemble, ce n'est pas de la possession. Pierre qualifie plus ce processus de « transfiguration ». Et c'est dans cet état qu'il entend des phrases, qu'il capte des flashs, des images, des odeurs, ou des impressions physiques.

Le défunt utilise le cerveau de Pierre. Il déteint sur lui.

Deux âmes, l'espace de quelques fractions de seconde, dans un même corps. Voilà le secret.

Ce mécanisme d'imprégnation est dépendant de l'énergie de la personne défunte qui, pour établir un contact, cherche à se *mélanger* à Pierre. C'est ce qui explique la précision de certaines communications et l'imprécision d'autres. Car l'exercice demande de la pratique. Des deux côtés. Beaucoup dépend de l'aisance dont va être capable l'énergie consciente – Pierre n'aime pas dire qu'il parle avec les morts. Quels morts ? Ils sont vivants de l'autre côté, aussi préfère-t-il ce terme d'« énergie consciente ».

Donc, si l'âme maîtrise mal cette énergie, qu'elle n'y est pas habituée car par exemple le décès est trop récent, elle ne parviendra pas à une synchronisation nette et précise. Il lui faut trouver l'équilibre adéquat, le fil conducteur le plus fin. Plus la transfiguration est grossière, plus la zone d'échange – l'espace partagé par le défunt et Pierre – sera grossière, floue, et plus la transmission manquera de précision. La communication sera alors approximative, les éléments donnés mal définis. Il appartiendra à ce moment-là au médium de faire la part des choses et c'est ici que se glissent erreurs et mauvaises interprétations. Imaginez une discussion entre deux personnes qui auraient de nombreux mouchoirs devant la bouche.

On l'a compris : communiquer avec les morts ne ressemble de toute évidence pas à une banale conversation. Parvenir à une sorte d'osmose entre défunt et médium pour favoriser un partage de *connaissance*, voilà une image plus juste.

Dans quelques instants, à ma grande surprise, Pierre va être le deuxième médium à capter l'oncle de mon père, Paul, qui disparut sur le front en 1915 en plein mois de février.

Pierre va sentir qu'il faisait très froid, que c'était la guerre, et aura même l'impression d'être là-bas. Que va-t-il se passer ? Le froid, d'un seul coup, va investir Pierre. Cet élément sera donné par l'esprit de l'oncle Paul, mêlé à celui de Pierre, pour indiquer l'époque à laquelle le défunt souhaite que je prête attention. Les informations passent physiquement et c'est Pierre, le médium, qui va mettre ses mots à lui dessus. Paul se replace au moment de sa mort, le *souvenir* du froid sur sa peau devient plus net et cette sensation passe instantanément à Pierre, qui à son tour a la peau qui frissonne, comme si son épiderme était celui de Paul l'espace d'un instant. Oui, *deux âmes dans un seul corps.*

Mais ça va plus loin. Pierre sent arriver les esprits. Il perçoit l'atmosphère qui change dans la pièce, il sent que quelque chose de palpable est en train de *descendre* vers lui. Palpable physiquement. Instantanément sa réflexion se bloque et tout arrive en même temps : le contact, les images, les informations biographiques, tous ces détails précis que lui-même ne peut connaître. En général, la manière dont les défunts sont partis est assez nette parce que c'est la dernière chose qu'ils retiennent. Ils commencent par la fin puis remontent le fil de leur existence. Comme un film à l'envers que les médiums auraient pour tâche de réordonner.

Alors que je le pousse à essayer de me décrire encore et encore ce qui se passe en lui, Pierre revient sur ce côté animal. En séance, pour parvenir à ces contacts, il dit redevenir un enfant. On a tous encore un enfant en nous, rappelle-t-il. Un enfant très instinctif qui capte tout, qui absorbe tout ce que les autres ressentent. L'adulte, lui, a des principes, des connaissances, des attentes, une vie quotidienne. En général il sait ce qui motive chacune de ses actions et le moindre de ses gestes. Pas de surprise. Rien d'inattendu. Tout est très conscient chez un adulte. La médiumnité, elle, invite à retrouver l'inconscience de l'enfance. Ne rien attendre, ne rien prévoir, ne rien supposer. Et tout absorber. Comme un animal absorbe tout de son environnement : informations, menaces, etc. On qualifie cela d'« instinct de survie » chez les animaux, mais il s'agit en réalité de la mise en œuvre de cette énorme énergie qui nous permet de tout *savoir* de ce qui nous entoure. Spontanément, *sans réfléchir*.

Quand Pierre reçoit en tant que guérisseur, son côté félin est très impressionnant. Instantanément il sent le point faible de son patient. Il y va directement car il voit l'organe ou la partie du corps malades. Le point faible, la faille dans laquelle il entre tout de suite, c'est une image bloquée, comme une radio. Ensuite il s'occupe d'essayer de régler le problème de santé en question.

« Instinct », « sixième sens », « médiumnité », ces différents mots désignent ce même état où le cerveau a lâché prise et devient totalement intuitif. Entièrement disponible à l'*information*. Le biologiste anglais Rupert Sheldrake a publié des ouvrages remarquables à ce sujet, montrant le rôle prépondérant de la conscience dans les comportements observés dans la nature[1].

Mais comment, dans ce contexte, lâcher prise tout en parvenant encore à faire la distinction entre son imaginaire et de réelles perceptions ? Pour Pierre, l'imagination se rapporte à des choses que l'on a vécues, que l'on connaît déjà, tandis que les perceptions nous emmènent dans l'inconnu. Il les découvre en même temps qu'elles parviennent à sa conscience. La difficulté, concède-t-il, est que pour

1. Rupert Sheldrake, *Réenchanter la science*, Albin Michel, 2013 ; *L'Âme de la nature*, Albin Michel, 2001.

être comprises, ces perceptions passent par le filtre de ses propres expériences, de sa vie. C'est là qu'il faut être très ancré pour faire ce métier. Avoir cette responsabilité de *distribuer l'information* requiert d'être parfaitement structuré et sain d'esprit, car chaque mot peut construire, ou détruire, la personne qui l'entend.

L'être humain est capable de percevoir toutes ces énergies dans lesquelles il vit sans même s'en rendre compte : énergies du sol, du monde magnétique, énergies de l'univers, etc. Nous sommes tous des capteurs. Tant que l'on n'en prend pas conscience, tant que l'on ne réalise pas qui nous sommes et quelles sont nos potentialités, on reste dans des *perceptions brouillonnes*.

Pas vraiment ce que me montre Pierre depuis que nous avons commencé. Il est scotchant. Dans son petit deux-pièces, la séance se poursuit. Après tous ces détails évoquant la famille, la guerre et le passé, mon père entreprend d'en venir à sa vie à lui.

– Pourquoi on me parle de moulin ?

– Je ne sais pas… peut-être parce que c'est là qu'il habitait.

– Il habitait dans un moulin ?

– Non, mais ça s'appelait comme ça.

Mes parents habitaient la campagne, dans un lieu-dit appelé Le Moulin à vent.

– Il me parle beaucoup de livres… il s'intéressait à beaucoup de choses ? C'est comme s'il était toujours dans un désir d'apprendre. Un chercheur… toujours érudit. Connaître les choses pour ne pas être surpris.

– C'est juste.

– Oui, beaucoup de caractère, ce monsieur. Il n'était pas forcément accessible.

– Non.

– Mais ouvert à la discussion quand même. Par contre, quand il était fermé, il l'était… il avait un problème avec la survivance de l'âme ?

– C'est-à-dire ?

– Ce n'était pas une chose à laquelle il croyait. Mais il aimait bien poser des questions, connaître les thématiques… transmettre, il aimait transmettre.

– Oui.

– Parce que c'est quelqu'un qui transmettait un savoir, qui formait les autres, c'était le cas ?

– Oui.

– C'est son métier, hein ? C'est ce que j'entends. Je le vois la plume à la main, un stylo-plume. Il aime les études. Il aime apprendre. C'est un homme qui forme les autres, un instit, un prof.

– Oui.

– C'était une passion…

Mon père adorait son métier d'enseignant, et nombre de ses anciens élèves gardent un souvenir fort de ses cours d'histoire-géographie en hypokhâgne. En outre, avec la peinture, l'écriture lui tenait à cœur. C'est auprès de lui que j'ai appris à écrire.

– Un prénom avec un L comme Lucien, comme Louis, ça te dit quelque chose ?

– Oui. Son père s'appelait Louis.

– Son père, ok. Il était assez bourru, son père ? Il y a comme un vide vis-à-vis du père… il a des moustaches, son père ?

– Oui, il me semble bien.

– Il est derrière lui… il y a comme un manque vis-à-vis

du père. Comme s'ils n'étaient pas proches, comme s'il n'était pas souvent là. Il devait le sentir en lui ce manque. Son père lui a manqué, c'est étrange… il ne l'a jamais dit ?

– Pas spécialement, non.

– Il y a peut-être une phase de sa vie que tu ne connais pas, quand il avait entre quinze et vingt-cinq ans. Une période plus trouble… mais il ne parle pas beaucoup, il n'a pas très envie de parler, ce monsieur.

Mon grand-père Louis était un homme gentil, mais impressionnant au dire de ceux qui l'ont connu. D'un abord peut-être un peu froid, distant sans doute, posture à laquelle ne devait pas être étrangère la souffrance continuelle que lui infligeait sa blessure de guerre. Ma mère, qui en parla avec la mère de mon père, pense que Louis n'avait pas dû être présent comme un père devrait l'être pour son fils. Son fils unique. Fait troublant qui fait écho à ce que Pierre capte à l'instant, mon père avait arrêté de se confier à sa mère dès l'âge de neuf ans. Il s'était tu, muré dans son silence, et ne livrait plus rien de lui. À neuf ans.

– C'est quelqu'un avec qui tu pouvais parler de tous les sujets, mais qui ne se livrait pas émotionnellement. Il avait une hypersensibilité émotionnelle qu'il a contrôlée toute sa vie. Il avait des impulsivités aussi ?

– Oui, c'est le cas.

– Des impulsivités explosives, un peu violentes même ?

– Oui.

– Il y avait de la colère en lui ?

– Je ne sais pas…

– C'est un gentil, mais il y avait de la colère en lui. Comme s'il ravalait toutes ses rancœurs ?

– Oui…

– Il n'a pas eu un problème à un doigt ?

– Je ne sais pas…

Parmi les révélations que va me faire ma mère lorsque nous décortiquerons ensemble la retranscription de cette séance avec Pierre, il y a cet épisode où dans un accès de colère mon père avait donné un coup de poing dans un mur… et s'était cassé le doigt. Que Pierre évoque les « impulsivités explosives, un peu violentes » de mon père et enchaîne en évoquant un « problème à un doigt » est tout de même assez frappant. Car malgré tout mon père était loin d'être coutumier de ce genre d'éclat. Ce n'était pas un homme violent. Des coups de gueule, oui, mais un tel accès de colère, c'est arrivé une seule fois.

Toujours sans plus d'indications de ma part, le passé semble resurgir en la personne de cet oncle, déjà évoqué par Henry Vignaud.

– Il a un oncle, un cousin qui a disparu ?

– Disparu, c'est-à-dire ?

– On pense qu'il n'est plus là mais on ne sait pas.

– Oui.

– Il y a longtemps.

– Oui, mais as-tu plus d'éléments ?

– Il est de l'autre côté depuis très longtemps.

– Ah oui ?

– Ce n'était pas un accident, tu comprends ?

– Euh, ben…

– Il a été tué. J'ai comme un meurtre, un assassinat, quoi… mais lui aussi avait un fusil… je le vois avec une tenue, je vois de la boue partout…

– Oui.

– Gros manteau, parce qu'il fait froid, ça te parle ?

– Oui.

– Et puis là… pouh, je vois un éclat.

– Ah oui ?
– Il y a beaucoup de bruit, ça te dit quelque chose ?
– Ça me dit quelque chose, oui.
– C'est une guerre, les tranchées, la guerre de 14…
– Oui.
– Je vois quelqu'un. C'est la famille ?
– Oui.
– Ce n'est pas son père ça… un frère, un…
– C'est son oncle.
– C'est son oncle ? Oui, j'ai dit « oncle » tout à l'heure…

C'est vrai, Pierre a commencé en demandant si « un oncle, un cousin qui a disparu » m'évoquait quelque chose. À nouveau je suis estomaqué par l'émergence de tels détails dont Pierre ignore évidemment tout. Et plus encore que ce soit la deuxième fois que cet oncle de mon père se présente à un médium durant ces tests. Lui qui fut porté disparu au combat, Pierre le voit avec un fusil, dans la boue, il a froid, porte un manteau… et pour cause, il disparut le 18 février 1915.

Comment expliquer la venue des mêmes personnes avec des médiums différents ? La réponse la plus simple est sans doute : parce qu'ils sont là, avec mon père.

– Il aimait beaucoup cet homme. Il ne le connaissait pas forcément, il ne le voyait pas beaucoup, mais il l'aimait bien, c'était son héros. Tu vois ce que je veux dire ?
– Oui.

Mon père ne l'avait pas connu puisque Paul était mort douze ans avant sa naissance. Mais cet oncle avait acquis une stature particulière dans l'histoire familiale. Et il était peintre lui-même, cela avait d'ailleurs dû accentuer la proximité de cœur avec mon père. Il n'était pas du tout fait pour la guerre, si tant est qu'on puisse l'être. Sa mort avait été un déchirement effroyable pour sa petite sœur, Lise, la mère de mon père.

– Ils sont ensemble. La survie existe, c'est ça qu'il a voulu dire… C'est marrant, c'est comme s'il avait retrouvé son enfance, des gens perdus de vue. Quelqu'un a été fait prisonnier ?

– Je l'ignore. Peut-être.

– Première guerre mondiale ? On dirait des faits de guerre. Oui, c'est encore 14-18, c'est sûr. Je vois des chevaux, des trucs comme ça. J'ai l'image, la couleur n'est pas la même, une énergie plus pâle…

– Ah oui ?

– Cet homme a dû être blessé, parce que je vois une femme blonde avec un brassard d'infirmière… il a été blessé cet homme-là ?

– Euh … il y a un homme auquel je pense qui a été blessé, oui.

– C'est ça, hein… 14-18 ?

– Oui.

– Ce n'est pas un grand-père ?

– Mon grand-père ?

– Oui, c'est ton grand-père parce qu'il me dit : « C'est le grand-père. »

– Oui.

– On lui a enlevé quelque chose à ton grand-père ?

– Un bout de pied.

– Ah oui, un orteil. C'était au pied droit ?

– Je l'ignore.

– Je le vois mort, c'est quand même étrange. Pourtant il s'en est sorti ?

– Euh, oui.

– Il s'en est sorti mais je le vois comme s'il était mort, comme si ça l'avait tué intérieurement.

Ce fut le cas d'une certaine manière. Cette blessure au pied allait le handicaper toute sa vie. Il avait à peine vingt ans quand il traversa les horreurs du front dans un régiment d'artillerie, et voilà qu'un obus le mutilait à jamais. Mais avait-il été prisonnier ? Je l'ignore.

Jusqu'à présent, mon père n'est parvenu qu'une seule fois à faire passer spontanément, et de lui-même, l'information selon laquelle quelque chose d'important se trouvait dans son cercueil. Et cela s'est produit avec Christelle qui pourtant n'est pas parvenue à nommer formellement ces objets. Que mon père ait des difficultés à communiquer, j'en ai bien conscience, mais pourquoi ne parvient-il pas plus aisément à dire que des choses sont cachées ? Cela reste une profonde source d'interrogation pour moi. N'y pense-t-il pas ? Est-il dans la lune ? Ou au contraire en a-t-il conscience mais préfère-t-il donner d'autres éléments au préalable ?

Qu'est-ce qui se transforme en nous quand on meurt ? Pierre avance quelques hypothèses très éclairantes.

– Pierre, sais-tu ce qui se passe au moment où l'on meurt ? Qu'est-ce que l'on devient ? Là, imaginons que j'ai une crise cardiaque, je tombe, qu'est-ce qui se passe ?

– Eh bien déjà tu ne t'en aperçois pas. Tu es toujours dans le mouvement de ton interview.

– Ah bon ? Alors je suis peut-être même déjà mort, là ! je m'exclame en riant.

– Je te le dirai tout à l'heure... non, ne t'inquiète pas. Ce que je veux dire c'est que si à l'instant tu avais une attaque, tu continuerais ton interview sans t'en rendre compte. Tu comprendrais que tu es mort quand à un moment donné tu t'apercevrais que tu es en décalage par rapport à ton corps physique. Tu te verrais subitement du dessus, et me découvrirais moi en train de te faire un massage cardiaque.

– Ouf…

– Si ta mort est foudroyante tu ne t'en aperçois pas. Mais le fait de voir ton corps au bout d'un moment peut t'aider à en prendre conscience.

– Et si malgré la vision de mon corps je ne comprends pas ? C'est possible ? Qu'est-ce qui se passe alors ?

– Oui, c'est possible. C'est pour ça que sur les anciens champs de bataille il y a plein de morts qui se baladent et se demandent : « Mais qu'est-ce que je fous là ? » Ils peuvent être là depuis 1914. Ils sont tous morts mais personne ne le leur a dit, et ils sont figés dans cette incompréhension et ne réalisent pas ce qui s'est transformé autour d'eux. Le jour où quelqu'un entre en contact et leur fait remarquer qu'ils n'ont plus de corps et qu'ils n'ont plus rien à faire là, ça les libère.

– Mais alors il doit y avoir un paquet de monde qui traîne dans les rues !

– Oui, un paquet. Mais moins dans les rues que dans les champs. Là où se sont déroulés les guerres et les massacres. Là où des gens sont morts brutalement sans s'y attendre.

– Et quand on meurt à l'hôpital ?

– Là on s'y attend, on sait. Et puis le chagrin des autres est une indication. Un autre élément important dans la prise de conscience que l'on meurt est la présence systématique de quelqu'un qui vient nous chercher pour nous accompagner. Je fais souvent le parallèle avec la naissance. Lorsqu'on vient au monde, on est accueilli : la sage-femme, notre père s'il est là, la famille qui nous prend ensuite dans ses bras, etc. En mourant, de l'autre côté, c'est pareil : en quittant son corps, on est accueilli par des proches exactement de la même manière.

– J'aimerais comprendre ce que je ressens psychologiquement une fois que j'ai réalisé ce qui m'arrive. Gardons le même exemple : j'ai une attaque, je meurs, je me vois de dessus et te vois toi en train de tenter de me ranimer. Et ensuite ?

– Tu es toujours toi.

– Ok, et j'imagine que je ne vais avoir qu'une idée en tête : prévenir ma femme et ma fille.

– Ça c'est une préoccupation d'incarné.

– Mais ma femme et ma fille, je…

– Il faut que tu penses « désincarné ». Même si tu n'as pas vraiment envie de laisser ta famille, tu vas comprendre que c'est une loi nécessaire à ton évolution, et aussi à la leur. Tu sauras alors à l'évidence qu'il y a une vie après la vie. Tu sauras également que c'est toi qui viendras les chercher le moment venu. Tu découvriras enfin que tu seras en mesure d'intervenir parfois pour les aider. En définitive, ce qui te lie à elles n'aura pas changé. La seule chose qui sera différente, c'est que toi tu auras les réponses auxquelles elles n'auront pas encore accès de leur côté.

– Oui, et j'imagine que ce qui pourrait m'affecter le plus serait de les voir pleurer continuellement…

– Exactement. Et à un moment donné tu vas trouver une possibilité de communiquer avec ta fille ou avec ta femme. Cela sera unique dans chaque cas, en fonction de leur sensibilité et de leur manière d'être. Tu viendras soit dans un rêve, soit d'une manière plus directe…

Mais cela veut-il dire que je pourrai les voir constamment ? Ceux qui sont de l'autre côté nous observent-il tout le temps ? Pierre dit que non. Pour voir les vivants, il faut que les défunts se rapprochent, qu'ils déchirent ce voile qui nous éloigne les uns des autres. En revanche, une certaine connexion entre eux et nous reste permanente. Ainsi, lorsqu'ils sentent que nous ne sommes pas bien ou que nous avons besoin d'aide, ils sont proches, instantanément.

Par cette discussion je voudrais aussi comprendre ce qu'il advient de la notion d'individu après la mort. Car une fois mort, est-on encore soi-même ?

Mon père est-il encore mon père ?

J'ai bien conscience que cette question peut paraître absurde, et qu'elle devient un peu obsessionnelle chez moi, et pourtant dans une vie bien terrestre, on peut être une personne si différente à seulement quelques années d'intervalle. Alors de quelle manière la mort affecte-t-elle notre individualité ? Notre identité ?

Pierre me répond que l'individu que nous étions, nous ne le sommes plus une fois de l'autre côté. Mais en même temps nous le redevenons dès lors que l'on se rapproche des mondes terrestres.

Nous ne le sommes plus mais cet individu est là, il fait partie de *nous*, de notre histoire.

Plus l'esprit se rapproche des mondes terrestres, plus il redevient une entité individuelle. Lorsqu'il s'en éloigne, l'individu s'efface et l'esprit se mêle à un *ensemble*.

Les mots ici commencent à être imparfaits.

L'esprit conserve toujours la mémoire de ce qu'il a été, pas uniquement de la vie qu'il vient de quitter, mais également la mémoire de ses autres vies, lorsqu'il en a eu plusieurs. Pierre emploie l'image de la goutte d'eau : chaque goutte d'eau est unique, elle garde la mémoire individuelle du chemin qu'elle a parcouru, des expériences qu'elle a vécues, mais une fois revenue dans l'océan, elle va s'y fondre et devenir l'océan.

Cette image presque philosophique va un peu à l'encontre

de notre espérance et même de notre imagination lorsque nous nous projetons dans la vie après la mort. Nous nous y voyons bien vivants, bien *nous-mêmes*, avec notre personnalité intacte.

On s'aime beaucoup en fait.

Ce serait vraiment dommage de ne plus être.

Mais c'est une vision d'humain que celle-là, une vision d'être incarné à qui il manque sans doute deux ou trois informations essentielles.

Pierre insiste cependant : notre identité n'est pas perdue, elle se mêle à un ensemble collectif mais perdure. La meilleure preuve en est que plus les défunts se rapprochent, plus ils se réapproprient leur identité terrestre : leur mauvais caractère, leur côté nerveux ou très calme, cette manière d'être qu'ils avaient de leur vivant et que ressent le médium lorsqu'une communication s'instaure.

Ils redeviennent qui ils étaient quand ils se rapprochent pour communiquer avec nous.

En définitive, la mort ne change pas radicalement la personne si le défunt reste proche de l'ère terrestre. Il y conserve son identité, son caractère et ses défauts. L'impression d'inachevé ou le refus de la mort sont susceptibles de le maintenir là.

Mais à en croire Pierre, la plupart des gens sont transcendés une fois passés de l'autre côté. Ils comprennent. Ne demeurent que les réfractaires, qui s'accrochent.

Pierre souligne à ce propos que non seulement les vivants influencent leurs défunts par la manière dont ils vivent leur deuil, mais les défunts influencent également leurs proches restés sur terre.

Ils peuvent ne pas les lâcher.

Si un défunt se met en tête qu'il n'a pas fini ce qu'il y

avait à faire, que des non-dits persistent, qu'il a besoin de dire des choses, il peut ne pas lâcher et influer sur les sentiments du ou des vivants liés à ce désir inachevé. Devenir collant. D'ailleurs, certains morts font tout leur possible pour ne pas lâcher prise. Leurs proches peuvent ainsi avoir la sensation d'être comme retenus dans un carcan de souffrances, de pleurs, ou… d'amour immense. « Je pense à lui tous les jours, tous les jours. » S'accrocher de cette manière permet aux défunts d'exister encore un peu sur terre et de tourner le dos à la réalité en contemplant leur passé en boucle. Mais leur place est-elle là ?

Sans même évoquer la vie après la mort, le processus de deuil ne consiste pas à *oublier* le défunt, à ne plus penser à lui, pas plus qu'il ne consiste à entretenir une relation fusionnelle avec le défunt, identique à ce qu'elle était du temps de son vivant. Le processus de deuil consiste à élaborer une *nouvelle relation*. Une relation avec le même amour, de la même force, mais *intégrant l'absence* causée par le départ. Nous reviendrons en détail et de manière pratique sur cette question du deuil dans la dernière partie de ce livre avec le psychiatre Christophe Fauré.

Dans l'immédiat, parler aux défunts est essentiel pour se libérer, comme d'ailleurs le préconisait Christelle Dubois. On peut dire : « Bon, moi j'ai accepté ton départ. Je demande à ce que tu te libères et que tu ailles dans ta lumière. » Il suffit même de le penser, pas besoin de le hurler. En général ça résonne. Au même titre que les relations entre vivants sont parfois imparfaites et que la communication n'est pas facile, il peut tout à fait en être de même entre vivants et défunts. Les émotions, les sentiments peuvent aussi être des freins.

Selon Pierre, l'évolution des défunts se poursuit de l'autre côté. De la même manière, ils peuvent faire évoluer les gens qui restent. Ce qu'ils n'ont pas appris sur terre, ils sont en mesure de l'apprendre à travers quelqu'un qui est encore là. Permettre l'évolution d'une personne sur terre les fait évoluer eux aussi. On le voit, les relations, les liens ne sont pas rompus par la mort. Le savoir et en prendre conscience en toute clarté nous offre la possibilité de moins subir la mort comme nous le faisons aujourd'hui, et de faire de la séparation une occasion de continuer à grandir. Des deux côtés. La mort nous propose de réinventer des relations, elle n'y met un terme qu'en apparence.

Mais *où* vivent les morts ? Là encore la question est vertigineuse. Pierre propose quelques débuts de piste. Ils évoluent dans une matière différente de la nôtre. Un monde de matière dans lequel il n'y a pas d'espace ni de temps. Les déplacements s'y font instantanément, plus vite que la pensée. C'est un univers un peu à l'image du nôtre, dans lequel ils peuvent recréer des mondes. Cette réalité est difficile à concevoir avec nos mots terrestres. En revanche la ressentir est possible. C'est ce qu'ont fait celles et ceux qui ont traversé une expérience de mort imminente. Et eux-mêmes dans leurs témoignages ont du mal à expliquer avec des mots ce dont ils ont fait l'expérience. Ils ont senti, ils ont acquis une *connaissance* sans qu'elle ait été verbalisée. Peut-être gagnerions-nous à favoriser la pratique des techniques et méthodes qui permettent de faire taire notre mental et ouvrent nos autres sens de perception, pour commencer à appréhender le monde subtil ? Méditation, techniques respiratoires, voyages chamaniques… autant de voies à explorer pour commencer à vraiment activer nos outils intuitifs. Et *faire ainsi l'expérience* plutôt qu'apprendre.

Donc, si je résume, la difficulté qu'éprouve mon père à transmettre aussi clairement ce que j'attends de lui tiendrait au fait qu'il lui faut pour cela spécialement revenir vers moi, se rapprocher de notre univers. Maintenant, mon père n'a plus de corps, il n'a plus de cordes vocales. De l'autre côté, il a découvert une autre forme de langage pour lequel les mots, le corps, la bouche ne sont plus de la moindre utilité.

La pensée relie les êtres.

Ils ne parlent plus, ils sont en *osmose permanente.*

Il faut que je me sorte de la tête tout ce qui est corps physique et monde de matière, que j'efface de mon esprit ces notions si constitutives du réel à mes yeux que sont le temps et l'espace, si je veux parvenir à me faire une idée même approximative de l'endroit où est mon père aujourd'hui. Et de ce que cela implique en termes de communication.

Il ne faut pas que je cherche à parler avec lui, mais à être en communion avec lui. Car le point intéressant que rappelle Pierre est que tous les êtres humains sur terre peuvent *communiquer avec les esprits.* Chacun de nous est capable de redécouvrir cet état d'osmose avec ses proches disparus.

L'amour qui nous lie à eux est le fil.

La peur parasite les choses. La peur façonne ce mur d'énergie négative qui renforce la croyance irrationnelle selon laquelle il n'y a rien après la mort et qu'aucun contact n'est réel. Reconnaître que nos proches sont vivants ouvre les portes et les sentir à travers soi est possible. Les parasites alors s'éliminent.

Pourquoi ne pas laisser tomber toutes nos croyances ? Seuls, chez soi, sans personne pour nous juger, pourquoi ne pas laisser tomber ces faux-semblants, s'affranchir de notre éducation qui nous empêche de faire nous-mêmes nos propres expériences ? Pourquoi ne pas essayer de s'ouvrir et laisser passer ce qui passe ? Cela ne va pas nécessairement fonctionner du premier coup, mais pourquoi ne pas observer où ça mène ?

En refermant ce livre, essayez un instant de ne plus penser. Évidemment, dès que vous essayez de ne plus penser, vous n'allez plus arrêter de penser à ne plus penser. Pour vous aider, fixez votre attention sur une image, une chute d'eau par exemple, et observez les choses qui émergent. C'est en ouvrant notre monde intérieur que s'ouvre la porte vers les autres mondes extérieurs. Voilà ce que m'a appris Pierre aujourd'hui.

Mais revenons à nos moutons. Enfin à papa. Comme avec les autres, le moment est venu pour moi d'aider Pierre – et mon père ? – à se focaliser sur ce qui nous intéresse. Je glisse une première indication tout en restant relativement évasif :

– Tu ne veux pas juste lui demander s'il y a quelque chose qui l'a frappé au moment de sa mort ou au moment de son enterrement ?

– Quand on l'a habillé… on lui a mis un pantalon trop court, mais il s'en fiche… quelqu'un avait quelque chose pour lui, une enveloppe, il me montre un mot qu'on a posé. On me parle d'enveloppe blanche ou beige, plutôt blanc cassé…

Voilà une première chose qui arrive immédiatement. Énorme ! Le mot que j'ai mis avec les quatre objets est glissé dans une enveloppe blanc cassé, beige. Je décide de renforcer la validation auprès de Pierre.

– Juste avant les funérailles, j'ai fait quelque chose, et je lui en ai parlé. On a un marché lui et moi.

– Il te fera signe, ne t'inquiète pas.

– Non, ce n'est pas ça. Il doit te dire des choses… des

choses ont été effectivement mises dans son cercueil, est-ce que tu peux lui demander de quoi il s'agit ?

Pierre a l'air de très bien gérer le stress, aussi je me suis lancé et ai pris le risque de lui révéler on ne peut plus clairement les termes du test, en espérant que cela ne va pas lui faire perdre ses moyens.

– Aujourd'hui il s'en contrefout de son cercueil, excuse-moi, je suis un peu cru, mais…

– Oui, je sais, mais il ne se contrefout pas du livre qu'on fait…

– Non… tu n'as pas mis trois choses dedans ?

– Je ne peux rien te dire…

– Il me parle de trois choses… il y a un objet… il y a comme un hommage dans ce que vous avez fait, il y a aussi comme un test.

– Ah oui, c'est le test !

– Dans le cercueil, c'est drôle d'avoir pensé à ça à ce moment-là.

– À faire un test ? C'est ce qu'il te dit ?

– Oui.

– Il n'a pas aimé ?

– Ça le fait rire. Il avait de l'humour, ça le fait marrer… il y a quelque chose où il y a des écrits, comme un livre qu'on a posé sur lui, il y a quelque chose comme une enveloppe… ah oui, c'est sûr. C'est marrant parce qu'il se dit : « Il fallait mettre aussi un enregistreur », c'est drôle ça !

– Un enregistreur, c'est lui qui te dit ça ?

– Oui. Ça aurait été drôle, non ?

Ça aurait été drôle, mais pourquoi parvient-il à dire « enregistreur » et pas « pinceau » ou « boussole » ? En même temps, il vient d'évoquer l'enveloppe avec le mot que j'ai écrit. Et le livre. Je suis aussi stupéfait que la première fois, et en même temps je suis tellement exigeant avec moi-même et avec lui qu'en cours de séance je remarque toujours d'abord ce qu'il ne dit pas, et réalise avec un temps de retard ce qu'il vient de me donner. Que voulez-vous, je suis journaliste…

– Il y a un objet… quelque chose qui brille. Il me dit que ça aurait pu lui appartenir.

– Oui.

– Un objet avec le dessus rond, qui brille. Et il y a quelque chose de soyeux… comme du satin, ça te parle ?

– Oui.

– Beige ou crème, j'ai l'impression que c'est capitonné.

– Oui. C'est le cas. Mais tous les cercueils le sont.

– Pas avec du satin crème ou beige… il y a des cœurs aussi dans son histoire. Quelqu'un a fait des cœurs, des écrits ? Ça parle d'amour cette histoire… il y a quelqu'un qui a mis une enveloppe ?

– Je ne vais pas te répondre.

Cette enveloppe que Pierre a vue blanc cassé dès le début contient ces quelques mots : « Je t'aime, papa » et j'ai signé : « Ton grand. » C'est comme ça que mes parents avaient coutume de m'appeler. Oui, « ça parle d'amour » ce qu'il y a dans cette enveloppe. Et le tissu dans son cercueil est couleur crème.

– Une enveloppe fermée, me précise Pierre.

– C'est ce que tu vois ?

– C'est ce qu'il me dit. C'est dedans… c'est tout ce que je vois.

– Qu'est-ce que tu ressens, là, précisément ? Tu vois des images ?

– C'est plus lui qui me parle, et il m'envoie des images aussi…

– Qu'est-ce qui te fait dire que ce n'est pas de la

transmission de pensée ou de la télépathie qui te permet d'obtenir toutes ces infos ?

– À cause de l'énergie, de l'ambiance. Et mon ressenti interne est totalement différent.

– C'est-à-dire ?

– C'est-à-dire que quand j'ai des intuitions, quand j'ai une info en voyance par exemple, ça n'a rien à voir. Dans ce cas-là ça ressemble plus à une évidence qui me traverse l'esprit. Je ne réfléchis pas. Avec les défunts je ne réfléchis pas non plus, mais eux le font pour moi.

– Comment es-tu sûr que c'est différent ?

– La captation n'est pas la même. En voyance, c'est foudroyant, instantané. Tandis qu'avec les défunts ça met plus de temps. Quand je parle pour eux, ce n'est pas du tout mon caractère qui s'exprime mais celui de la personne qui est en contact avec moi. C'est là que je vois une vraie différence, parce que je dissocie bien mon caractère de celui de la personne défunte avec qui je communique. Et plus ils descendent, comme je t'ai expliqué, plus ils reprennent le caractère qu'ils avaient de leur vivant sur terre.

– Et pourquoi, si tu es avec lui, mon père ne te dit-il pas clairement : « Mon fils a mis ça et ça » ?

– Parce qu'il n'a pas tous les mots.

– Pourquoi ?

– Parce que ça demande une énergie de dire tous les mots, de faire de vraies phrases. Pour eux, et pour moi. Il me faut de l'énergie pour capter, et je n'en ai pas assez pour tout capter. Je vois les images qu'il me montre, ce ne sont pas ses mots que je prononce, ce sont les miens. Il ne me dit pas : « C'est ça. » Il me montre une image en un battement de cils, ça va vite. Ensuite, pour la comprendre, il faut vraiment que je cherche mes mots à moi. Il faut que je capte l'image en éliminant tout ce qui en moi la parasite. Pour ça, je dois parvenir à ne plus être moi, mais à être lui. C'est ce ressenti qui me permet de savoir que ça n'a rien à voir avec de la transmission de pensée avec toi, ou de la voyance.

– Alors les morts ne parlent pas ?

– Pas tous.

– C'est-à-dire qu'il y en a qui parviennent à te parler avec des mots ?

– Oui, mais ceux-là sont très anciens.

– Et pourquoi mon père ne pourrait-il pas te parler puisque tu dis qu'il est vivant ?

– Parce qu'il faut qu'il crée une vibration d'énergie pour créer un son, à l'intérieur de moi. Il faut qu'il traverse tous ces parasites qu'il y a entre le terrestre et la vibration où il se trouve pour créer quelque chose de fluide et d'audible, t'imagines pas !

– Ben non, j'imagine pas, non.

– Et comme son décès est assez récent, il n'a pas encore toutes les subtilités. Surtout qu'il n'y croyait pas, c'est ça qui est drôle.

– Se pourrait-il qu'il n'ait pas compris où il se trouve ?

– Ça peut arriver mais ce n'est pas son cas.

– Ah non ?

– Non, je dirais plutôt que c'est quelqu'un qui n'avait peut-être pas fini ce qu'il avait commencé, ou peut-être pas dit à des gens de sa famille ce qu'il avait à dire. Je le sens plutôt dans cette énergie-là parce qu'à un moment il est en retrait, il observe et puis tout à coup il envoie une info et alors je le vois sourire.

– Il doit davantage apprendre à communiquer avec toi alors ?

– Oui… Est-ce qu'il y a une montre dans le cercueil ?

– Je ne peux pas te répondre, tu le sauras plus tard.

– Je pense qu'il y a une montre, ça peut être une montre à gousset, un objet qu'il aimait bien.

– Il te dit quoi ?

– Il parlait du temps, il aimait le temps.

– Ce sont les mots que tu as ?

– Oui. Il me parle du temps…

– Il faut que tu interprètes ce qu'il t'envoie ?

– C'est ça, les seules personnes qui peuvent se tromper c'est nous, les médiums.

– Est-ce que tu sens de l'impatience chez lui ?

– J'ai senti des sourires. Un sourire retenu.

– Par rapport au test, ce que j'ai fait avec le cercueil ?

– Il a trouvé ça choquant au départ, puis drôle, très drôle. Il a dit que tu ne changerais pas, professionnel jusqu'au bout.

– En même temps c'était l'occasion…

– C'est marrant, c'est comme si j'avais une photo de famille avec lui dessus. Je l'ai vue clairement cette image. Il y a aussi le livre, l'écriture, quelque chose qui est enroulé…

– Et l'objet avec le dessus rond ?

– Oui, c'est rond, ça peut être une médaille…

Ou une boussole ?

Surprenante à nouveau cette séance, où si rapidement Pierre voit la lettre que j'ai laissée dans le cercueil, et ce livre, et cet objet rond… Alors qu'un peu plus d'une heure avant, marchant dans la rue, je demandais à mon père s'il pouvait choisir de parler du livre de Dino Buzzati et de la boussole. Mais en même temps, les explications de Pierre ajoutées à celles des autres médiums me permettent de mieux comprendre la complexité de ce que je demande à mon père. Malgré tout, il s'en sort pas mal, non ?

Loan

Loan Miège est une jeune femme qui approche de la quarantaine. Installée dans le Vaucluse, elle n'est pas seulement médium, elle est en contact avec un monde invisible foisonnant et d'une richesse extraordinaire. En effet, Loan parle aussi bien avec les âmes défuntes qu'avec les esprits des arbres et de la nature en général. En outre, elle soigne, accompagne et enseigne. D'abord incrédule devant tant d'activités, je l'ai suivie dans la forêt et cela a tout changé. J'ai réalisé alors combien Loan était sincère et d'une intégrité rare. Une belle personne, capable de choses tout à fait étonnantes. Ouverte à la discussion, généreuse dans ses explications, Loan m'a permis de vérifier par moi-même que ce qu'elle racontait sur le monde invisible de la nature m'était perceptible. Cela fut très impressionnant. Aussi, bien que la communication avec les défunts ne constitue pas le cœur de son activité, je lui ai proposé de participer à ce test. Outre la séance, cela allait me donner l'occasion de mieux découvrir son univers. Et je n'en ai pas été déçu.

Loan a eu une enfance très particulière. Mais pas pour les raisons que l'on imaginerait dans ce livre. Pour elle, pas d'entités qui apparaissent dans sa chambre d'enfant, pas de guides de lumière, pas de perceptions. Juste l'enfer.

L'enfer de la folie où pour survivre elle doit totalement museler sa sensibilité.

Son père est schizophrène, alcoolique et violent.

Ses parents se sont séparés quelques mois après sa naissance. De sa mère assistante sociale, Loan dit qu'elle a pris son rôle un peu trop à cœur au point de s'installer dans la cité très difficile de La Villeneuve, à Grenoble, où se côtoient misère, violence et drogue. Malgré leur séparation, ses parents se voient et vivent des relations épisodiques. Trois ans après la naissance de Loan, un petit frère arrive. Un petit garçon non désiré. Une interruption volontaire de grossesse a été envisagée mais la maman de Loan s'y est refusée au dernier moment. L'enfant se révèle bientôt souffrir de schizophrénie lourde et vit aujourd'hui sous la tutelle de l'État avec le statut de handicapé.

Leur maman tente de maintenir une fiction de famille recomposée et confie les enfants à la garde du père un week-end sur deux. « Elle pensait que c'était bien qu'on voie notre père, son truc d'assistante sociale. En fait elle nous a livrés au bourreau. »

Ces années vont énormément abîmer Loan, ainsi que son frère. La folie toxique de cet homme va leur faire vivre un calvaire. Ces week-ends avec lui deviennent des moments où toute l'énergie de Loan est concentrée sur un objectif : *survivre.*

Le papa habite en montagne, isolé de tout. Il vit avec une nouvelle compagne, mère d'une petite fille de cinq ans. Loan en a alors six, son frère trois. À chaque crise de son père, elle prend la petite et, tenant son frère de l'autre main, s'enfuit dans la forêt en courant le plus vite possible. Et ils y restent cachés. Très jeune, Loan a compris que son père est quelqu'un d'extrêmement dangereux.

Instinctivement, elle perçoit les signes avant-coureurs d'un accès de délire. L'homme est diagnostiqué schizophrène mais très tôt Loan devine dans la manière dont se passent ses crises une sorte de *possession*. Elle sent qu'un autre être *s'installe* à l'intérieur du corps de son père. Son regard change, ce n'est plus la même personne. « Il devient un démon vivant. » Il se met alors à tout casser, à tout détruire autour de lui.

Pour se protéger, Loan a appris à être constamment en alerte lorsqu'elle se trouve en sa présence. Être vigilante et déceler ce moment où le changement de personnalité se produit afin de pouvoir partir à temps. En effet, elle s'est résignée devant le constat que seule la fuite pouvait les protéger dans de tels moments.

Quand il ne s'agit *que* de crises passagères. Car l'homme a aussi des problèmes de changement de personnalité sur le plus long terme. Un souvenir reste présent, douloureux, et remonte à l'époque où Loan a quatorze ans.

Alors que les enfants sont chez lui, le papa a l'idée d'un voyage touristique dans les châteaux de Bavière. Une excursion de dix jours.

Dix jours d'enfer total.

Le voyage à peine commencé, le père se comporte tel un officier nazi replongé en plein IIIe Reich. Pendant dix jours, lui et les enfants vivent dans l'Allemagne nazie. Il rationne la nourriture « car c'est la guerre » et profère propos antisémites et menaces de mort. Loan, dont la mère est d'origine juive, vit dans l'angoisse que son père s'en souvienne, car il ne cesse de répéter combien « il faut les tuer ». Loan explique aujourd'hui que durant ce voyage, son père a été de son point de vue littéralement *envahi* par l'âme errante d'un officier nazi. Il n'était plus lui-même. Jusqu'à projeter de mettre fin à ses jours, comme le firent des officiers et des dignitaires du régime, à la différence que lui comptait emmener ses enfants dans la mort avec lui.

Un jour, il pénètre sur l'autoroute à contre-sens. Loan se remémore cette expérience avec terreur. Elle sent qu'elle va mourir. Mais alors que la voiture est engagée dans sa course folle, il se produit quelque chose d'incompréhensible encore aujourd'hui pour Loan. Soudain, le temps ralentit. Elle pense que la mort vient les chercher, que c'est fini. Bien qu'elle n'ait reçu aucune éducation religieuse, elle se met à prier. Prisonnière de la voiture, elle appelle à l'aide, disant qu'elle et les deux autres enfants sont innocents et n'ont pas demandé ça. Ils veulent vivre. Ce n'est pas juste. Elle prie de toute son âme, de toutes ses forces, et « à un moment donné, il y a eu comme des nuages sous la voiture, je la sentais qui se soulevait, puis elle est retombée sur la route et mon père est redevenu humain, si l'on peut dire… » La famille gagne une auberge où tout le monde s'endort. Que s'est-il passé ? On se trouve ici aux confins de l'inexpliqué.

Le fait est que Loan grandit dans la folie. Obligée de se barricader pour ne pas être elle aussi emportée. Mais dès qu'elle va atteindre la majorité et être enfin capable de quitter ce contexte familial, elle commence à percevoir les défunts. Cela se produit une première fois à l'âge de dix-neuf ans, par la visite de son arrière-grand-mère avec qui Loan entretenait un lien très fort, décédée depuis trois ans. Loan a toujours été une enfant très sensible, mais cette particularité ne s'est exprimée qu'à travers la peinture et la sculpture qu'elle pratique assidûment toute son enfance. Elle ne peut se permettre plus. Trop de danger. Devenue adulte et indépendante elle s'autorise enfin à s'ouvrir.

La vie de Loan est déroutante. Elle a fait l'expérience à la fois de la souffrance, de la peur et de la folie la plus terrifiante, tout en conservant puis en laissant éclore la formidable force spirituelle lovée à l'intérieur d'elle depuis toujours. Dans ce petit corps délicat, derrière ces yeux joyeux et espiègles, une puissance veille.

C'est à Paris que nous nous retrouvons. Je pose la photo sur la table. Loan la regarde. Le contact semble s'opérer immédiatement.

– Il est décédé, j'imagine ?

– Oui.

– Du cœur ? J'ai tout de suite une oppression au niveau du cœur. Et je sens beaucoup de tristesse en lui. C'est quelqu'un qui a dû perdre un être cher… c'est comme s'il y avait une forme de deuil dont il n'arrivait pas à se remettre… Maintenant par contre, de l'autre côté, il t'accompagne. Il a réussi à intégrer les leçons de sa vie terrestre pour se transcender et être apaisé. Il est plus en phase avec son esprit, sa propre lumière intérieure. Je le sens apaisé et souriant… du coup je sens vraiment un décalage entre l'homme sur cette photo et celui que je capte. Sur la photo, il a cette peine, cette souffrance. Il est triste et ne parle pas. Je sens quelqu'un de refermé sur lui-même, de pudique et qui vit avec sa souffrance sans déranger les autres. Ça le travaille à l'intérieur, ça a du mal à s'exprimer. On me montre qu'il tousse beaucoup cet homme. Est-ce qu'il avait des problèmes au niveau des poumons ? Je sens une sorte d'oppression dans toute la poitrine. On me montre des mucosités, des choses qu'il n'arrive pas à expulser… je te dis tout ce qui vient, d'accord ?

– Bien sûr, oui.

Vous avez en mémoire un certain nombre d'informations médicales sur mon père, aussi vous apprécierez sans nul doute la justesse de ces remarques. Loan capte toute une gamme de paramètres physiques et émotionnels qui correspondent complètement à mon père. Sa santé, le cœur, les poumons… et ce deuil inextinguible. Celui de mon frère.

– Il est fort… enfin, je ne sais pas trop ce que je raconte, si c'est vrai ou pas, mais c'est ce qui vient…

– C'est très juste. Et même ce qui te semblerait absurde, n'hésite pas à le dire.

– D'accord… Parce que là, on me montre trois enfants. Pourquoi on me montre ces enfants ? J'ai l'impression qu'il y en a un qui a eu un accident, que ça a été très douloureux pour cet homme et il ne s'en est pas vraiment remis.

Loan ne sait pas qu'il s'agit de mon père à ce stade, je vous le rappelle. Et effectivement, nous étions trois enfants, Thomas étant décédé en Afghanistan en 2001.

– Cet homme… c'est comme s'il avait l'impression qu'il avait de la malchance sur lui et en même temps il y a quelque chose de lumineux, de l'espoir… comment dire ? Je sens que c'est un manuel, il fait des choses avec ses mains et ce qu'il crée de ses mains le raccroche à la vie. Ça lui donne une forme d'espérance. Comme si ça le soulageait de ce fardeau, de ce poids, de ces contraintes qu'il a du mal à gérer. Il aimerait que ce soit autrement et par ce travail manuel, il s'évade. Il a l'impression de transcender ce qui est douloureux et d'en faire quelque chose de beau, d'utile. Au-delà de toute cette pesanteur terrestre…

Là encore, quelle exactitude. Mon père entretenait une relation cathartique avec la peinture. Comme il était incapable d'exprimer verbalement ses émotions, l'acte de peindre était devenu pour lui un moyen de se soustraire aux problèmes de l'existence. Seul dans son atelier à longueur de journée, il peignait, le nez collé à son pinceau, et mettait le monde entre parenthèses. Chaque émotion qui ne sortait pas de lui se transmutait littéralement dans la matière de ses tableaux, dans les traits, les coups de pinceau, les couleurs.

Sans que je l'aie interrompue, Loan poursuit sur sa lancée.

– J'entends un prénom, mais les prénoms ce n'est pas mon truc, alors je ne sais pas trop quoi en penser. J'ai le prénom Jean qui vient. Je ne sais pas qui est Jean, si c'est lui ou quelqu'un d'autre…

– Très bien…

Encore une fois Loan ne sait pas qu'il s'agit de mon père sur la photo. Ni que le prénom de mon père est Jean-Pierre. Elle est bluffante.

– Maintenant, j'ai plus de choses par rapport à lui de l'autre côté. Il dit qu'il participe à ce livre parce qu'il a beaucoup souffert de ce doute, de ce tiraillement intérieur durant sa vie terrestre et qu'en passant de l'autre côté il s'est vraiment rendu compte qu'il y avait autre chose, que c'était lumineux et que la vie avait un sens. Ce sens qu'il avait beaucoup de mal à percevoir tellement il avait ce fardeau sur les épaules dans sa vie terrestre. Une fois passé de l'autre côté, il a compris que les choses avaient un sens. Qu'il faut s'accrocher, c'est important. Voilà ce qu'il désire montrer. Tenir bon et profiter de la vie, voilà ce qui est essentiel. Il a des regrets à ce sujet. À cause de ce poids qu'il portait, il n'a pas dû profiter de la vie comme il aurait pu. Il s'est un peu enfermé tout seul. Aujourd'hui, maintenant qu'il est passé de l'autre côté, il a conscience de cela et il est heureux de pouvoir partager son expérience, sa transformation. Il parle de « transformation »... c'est un peu comme s'il voulait témoigner et en même temps être une sorte d'exemple pour montrer que bien qu'enfermé sur le plan terrestre, on est bien plus que ce qu'on imagine.

J'écoute en silence. Je ne suis pas en mesure de juger de la véracité de ce que Loan me décrit de mon père de l'autre côté, mais à constater la justesse de ce qu'elle rapporte sur lui avant sa mort – « Il a beaucoup souffert de ce doute, de ce tiraillement intérieur... il avait beaucoup de mal à percevoir le sens de la vie tellement il avait ce fardeau sur les épaules... il s'est un peu enfermé tout seul... » – j'évalue ce que mon père a réalisé depuis son départ. Et je m'en livre à Loan.

– Je suis bien content qu'il participe comme il le fait.

– Je ressens de la joie, de l'enthousiasme de sa part. Je lui demande s'il veut raconter autre chose ?

Mais alors que la séance semble se dérouler on ne peut mieux, je vais commettre la boulette. L'avoir déjà fait avec Christelle ne m'a pas servi de leçon.

– Je lui ai demandé quelque chose avant de venir, est-ce qu'il l'a entendu ?

– Ça le fait rigoler... il me dit qu'il a bien entendu.

Près de deux décennies au contact de la folie de son père ont marqué Loan à jamais. Plus surprenant, cette proximité de tous les dangers lui a donné la sensation que la schizophrénie est une médiumnité mal vécue.

Loan est persuadée que son frère et son père sont

médiums mais qu'ils n'arrivent pas à le gérer. Elle dit de son père qu'il a traversé lui-même des souffrances extrêmes, qu'il a été battu et a connu une enfance terrible. Cela a provoqué d'énormes failles en lui et par ces blessures béantes pénètrent les entités malveillantes qui prennent possession de lui. Beaucoup de ceux que l'on qualifie de « schizophrènes » seraient ainsi des médiums submergés par leurs perceptions.

Pourquoi dans un tel contexte Loan n'a-t-elle pas glissé elle-même dans la schizophrénie ? Son caractère fort a-t-il joué ? La responsabilité de protéger son frère dont elle s'est sentie investie a-t-elle favorisé son ancrage ?

Mon ami Paul Bernstein et moi-même avons publié il y a de cela quelques années le *Manuel clinique* des *Expériences extraordinaires*. Ce texte fondateur de l'INREES[1] est un ouvrage collectif regroupant et présentant par catégories un grand nombre d'expériences extraordinaires répertoriées à ce jour, ainsi que les suggestions d'approches thérapeutiques. Il s'adresse aux professionnels de santé, aux psychologues, aux psychothérapeutes de différentes écoles, mais ainsi au grand public, à ces personnes qui ont vécu une ou plusieurs expériences, ou à leur entourage qui chercherait à comprendre les changements de comportement qui affectent leurs proches ; enfin à quiconque ayant vu ou entendu parler de ces expériences et qui serait désireux de connaître et comprendre ce que les recherches scientifiques sérieuses et l'étude clinique de ces expériences ont permis de découvrir.

Nous nous étions interrogés notamment sur la réalité de l'existence d'une démarcation franche entre *folie* et *normalité*. À l'unanimité, tous les contributeurs du *Manuel*

1. Voir www.inrees.com.

avaient admis qu'une telle frontière n'existait pas. Aussi avions-nous synthétisé leur pensée en écrivant : « Il existe une sorte de continuum entre la maladie et la santé. Dans des conditions paisibles d'existence, chez les personnes qui ne souffrent pas de blessure particulière, le psychisme humain va fonctionner de manière équilibrée, ou, disons, adaptée. Que survienne un traumatisme léger, il y aura une légère déstabilisation, puis un retour à l'équilibre ; avec un traumatisme plus intense, des couches ou structures plus profondes vont être ébranlées, ce qui perturbera davantage l'équilibre ; jusqu'à un traumatisme catastrophique qui fera voler la personnalité en éclats (effondrement mélancolique, délire, par exemple). Une personne qui n'a jamais manifesté de troubles psychologiques n'est pas nécessairement une personne équilibrée… Seule la vie pourra en faire la preuve. Il faut donc compter sur le temps et la preuve vient a posteriori. Par ailleurs, au sein même des personnalités pathologiques, persistent des "îlots de santé". C'est d'ailleurs grâce à eux que l'individu peut recouvrer la santé avec l'aide de thérapeutes qui vont l'aider à les renforcer, les développer, et à s'appuyer dessus[1]. »

En résumé, les perceptions médiumniques peuvent être parfaitement vécues, ou provoquer à l'inverse un effondrement complet, des délires et des troubles psychologiques importants chez une personne fragilisée par des blessures psychiques particulières. Entre ces deux extrêmes on rencontre toute une gamme d'attitudes et de réactions. Aucun des médiums que j'ai rencontrés n'a échappé à ces moments d'incertitude, de doute, de danger et d'apprentissage.

1. Stéphane Allix et Paul Bernstein (dir.), *Expériences extraordinaires. Le manuel clinique*, *op. cit.*, chap. II.

L'exemple de Loan confirme ce constat. Avec les années, elle a fait de la présence, dans sa vie, de la schizophrénie de son père et de son frère ce qu'elle appelle une « terre d'apprentissage ».

Par moments, elle a eu peur elle-même de sombrer. Elle a senti que cela était possible. Sa chance est d'avoir eu la force de revenir dans sa vie. Elle a pu en effet comprendre dans ces moments de danger qu'il lui fallait faire face à ses souffrances et s'engager dans un processus de guérison intérieur. Elle a réalisé que des failles, des fragilités émotionnelles existent en tout être et que tant qu'elles ne sont pas soignées, le risque demeure que des entités s'y glissent et prennent à nouveau épisodiquement possession de nous. Cela n'est pas nécessairement impressionnant ou même visible. Cette *pénétration*, sauf dans des cas extrêmes comme celui de son père, est sournoise, discrète et inconsciente. Mais agissante, nous l'avons vu.

Pour éviter de donner prise à ces forces extérieures tout en gardant la possibilité d'une ouverture contrôlée, Loan a entrepris de travailler à identifier, à comprendre et à guérir ses blessures. Accepter sa propre vie sur terre. Ne pas flotter *là-haut*. Car ceux qui sont aspirés dans la folie sont ceux qui sont submergés et n'ont pas la force, l'aide ou les ressources pour exercer cette lucidité salutaire, préalable à tout chemin de guérison.

Les fous sont persuadés de ne pas l'être.

Parmi les patients qu'elle reçoit – elle soigne et accompagne les gens à la fois sur le plan physique et spirituel –, beaucoup montrent des problèmes de ce type. Médiumnité difficilement gérable ou problèmes familiaux liés à ce genre de choses. Aujourd'hui elle n'a plus peur de la folie. Elle connaît ses contours et son mode d'expression. Aussi, devant un patient qui vient la voir en lui disant être possédé, ou entendre des voix, elle est sur un terrain familier et se sent outillée pour aller en chercher les causes. Derrière cette image qu'elle dégage d'une jeune femme douce et délicate, Loan est aussi une guerrière. Sinon comment aurait-elle pu traverser ce qu'elle a traversé et être là aujourd'hui ? Loan a fait de son enfance une force. Même si les rapports familiaux sont encore compliqués – elle ne voit d'ailleurs plus son père. « C'est quelqu'un de beaucoup trop dangereux, absolument ingérable. Il ne reconnaît pas du tout qu'il a un problème, il est dans sa toute-puissance… » Par contre, son petit frère est quelqu'un d'extrêmement gentil et doux, quand il est sous médicaments.

Confrontée à cette réalité de la souffrance, Loan est aussi très réaliste. Elle est la première à reconnaître que le premier pas vers le processus de guérison intérieur est au-delà des forces de bien des schizophrènes.

C'est au-delà des forces de son frère.

Aujourd'hui seuls les médicaments l'empêchent de souffrir. Ils ne règlent pas le problème – ils ne sont pas faits pour cela mais pour diminuer la souffrance, ce qui est déjà inestimable pour le malade. Aussi, il ne faut pas perdre de vue qu'il ne s'agit que d'un couvercle que l'on met sur des vraies problématiques qui demandent à être traitées. Fermer les yeux là-dessus ne constitue pas une solution à long terme.

La majorité des psychiatres que j'ai questionnés sur la distinction qu'ils faisaient entre folie et perceptions extraordinaires m'ont touché par l'honnêteté de leur réponse. Aucun ne m'a affirmé que ce que voyaient les fous n'existait pas. Mais tous ajoutaient immédiatement que pour un psychiatre, ce questionnement autour de la réalité ou de l'irréalité des expériences rapportées par leur patient était au final très secondaire.

La première question qu'ils se posent est : « Est-ce que mon patient souffre ou pas ? Est-ce que les voix qu'il dit entendre dans sa tête le perturbent ou pas ? » En cas de souffrance, ils travaillent à l'atténuer, en règle quasi générale avec des médicaments. Parce qu'il n'y a pas d'autre option pour répondre à l'urgence. Ils sont conscients que leur prescription ne guérit pas, mais qu'elle fait taire les voix, le délire, tout ce qui est insupportable au malade. C'est le problème du frère de Loan : il est potentiellement dangereux et seules de fortes doses de médicaments, qui l'assomment, l'empêchent d'être menaçant pour lui-même ou pour les autres.

Mais alors justement, la solution ne serait-elle pas de chercher dans les causes profondes de la maladie ? C'est l'avis d'un nombre croissant de professionnels de santé qui, au-delà de la réponse thérapeutique immédiate à la souffrance, tentent, par des approches parfois très diverses, d'identifier les causes de ces fragilités parfois incommensurables qui touchent leurs patients. Quitte à ce que cette interrogation les emmène vers le *monde invisible*. Ces médecins, ces psychothérapeutes, ces psychologues sont d'admirables pionniers. C'est pour rassembler les connaissances qu'ils ont acquises à travers le monde et mieux les faire connaître en France que Paul Bernstein et moi avons initié la rédaction du *Manuel clinique*. Et que j'ai fondé l'INREES.

Mais ces femmes et ces hommes que j'évoque sont des pionniers et malheureusement la prise en charge de la maladie mentale au quotidien est dans notre pays parfois aberrante. Loan regrette de n'avoir pu rencontrer à ce jour de psychiatre avec lequel elle aurait pu engager une discussion au sujet de ce qu'elle ressent, de ses intuitions. Elle a observé avec son frère que trop souvent l'urgence de la réponse à la souffrance prime sur toute tentative de réflexion.

On fait taire le symptôme, et c'est déjà pas mal.

Devant son insistance à vouloir trouver une solution de guérison pour son frère, la psychiatre qui avait le jeune homme en charge ne trouva rien de mieux que de faire un jour à Loan cette réponse en forme de menace : « Vous-même pouvez développer la schizophrénie après trente ans et vos enfants courront le risque d'être atteints. » À l'époque, cette annonce provoqua un cataclysme en Loan. Soudain sa vie était foutue. Quelle tristesse d'être qualifié de « soignant » et d'être dépourvu à ce point de bienveillance et d'intelligence de cœur ! Il n'y a rien de plus déconcertant que d'être confronté à l'ignorance camouflée derrière des certitudes. Il fallut du temps à Loan pour regagner confiance après cette entrevue détestable avec une psy et comprendre pourquoi elle-même ne basculerait pas dans la folie.

Il est vrai qu'avec l'enfance impensable qu'elle avait vécue, je me suis un temps demandé comment elle avait accueilli l'émergence de ses propres perceptions. Témoin de la maladie de son père, n'avait-elle craint, en voyant apparaître son arrière-grand-mère devant elle à l'âge de dix-neuf ans, d'être en train de devenir schizophrène à son tour ? Sa réponse fut dans la droite ligne de ce que nous avons publié dans le *Manuel clinique* : il ne faut pas poser un diagnostic en fonction du *contenu* du récit extraordinaire, mais en fonction de la *manière* dont il s'exprime.

En effet, lorsque pour la première fois son arrière-grand-mère défunte lui était apparue, la douceur avec laquelle l'expérience s'était déroulée avait laissé à Loan la sensation forte qu'elle n'était pas en train de faire une crise comme son père, mais de vivre *autre chose*. Le calme de ce qu'elle vivait alors constituait un indicateur clair qu'elle n'était pas en train de débloquer. Elle reconnaissait la *vibration* de son arrière-grand-mère et sentait que la vieille dame était là pour l'aider.

Loan est animée par quelque chose de plus grand. Elle est portée par une lumière et sent les êtres lumineux qui sont autour d'elle. Elle reconnaît en riant que justement en disant cela elle fait un peu schizophrène, mais toute la différence tient dans le fait qu'elle sait utiliser ses perceptions pour aider, pour construire, pour faire en sorte que les choses aillent mieux. Pour faire du bien.

Il ressort de tout cela que réduire systématiquement la schizophrénie à des hallucinations et la médiumnité à des perceptions réelles n'a aucun sens. Schizophrènes et médiums ont accès au même monde invisible. Les premiers s'y perdent, les seconds y vont et en reviennent quand ça leur chante.

Ce constat ne change pas grand-chose à la réalité des malades dans le cadre de leur prise en charge actuelle. Et son incapacité à aider son frère est une grande leçon d'humilité au quotidien pour Loan. « Je n'ai pas réussi à le sauver », dit-elle en parlant de lui.

Mis en confiance par la facilité avec laquelle elle est entrée en relation avec mon père, et comme il me semble que tous deux m'y invitent, j'entreprends de préciser à Loan l'objectif de cette séance.

– Je lui ai demandé de te dire quelque chose.

– Ah, d'accord… ça met un peu de tension. Et dès qu'il y a une part de stress, toutes les perceptions s'affolent.

– Mais il n'y a pas de raisons de t'affoler.

– Donc il doit me dire quelque chose ?

– Oui.

– Là, ça y est. C'est le stress… c'est terrible mais je bloque.

Pensant aider Loan à se focaliser sur un objectif plus précis, je ne fais en réalité que la gêner. Et elle commence à perdre la fluidité de la connexion que mon père et elle avaient établie.

– J'ai mis plusieurs choses dans son cercueil et je lui demande de dire de quoi il s'agit aux médiums.

– D'accord…

– J'ai bien conscience que ce n'est pas facile. Mais il va y arriver à un moment où tu seras peut-être moins tendue… Aussi, n'hésite pas à me dire même les choses les plus inattendues qui te viennent. Dans l'immédiat, je te propose d'aller sur un autre sujet : est-ce que tu peux lui demander de décrire les personnes qu'il aurait retrouvées après sa mort ?

– Je vois qu'il a vraiment réussi à passer les étapes pour arriver à ce plan lumineux où il est plus en lien avec des êtres qui vont lui enseigner et lui permettre de continuer à avancer.

– Mais il est… ça te dérange si je te questionne ?

– Non, vas-y, au contraire.

– Est-ce que ce que tu perçois directement vient d'un être vivant ou tu as l'impression d'accéder à des informations sur lui ?

– Je perçois une silhouette. Comme il est passé à travers différents stades d'évolution, il a perdu sa forme incarnée, son identité. Il est au-delà de la personne qu'il était, il a dépassé tout ça. Maintenant c'est plus une silhouette, une masse d'énergie et je sens sa présence.

– Tu entends des mots qu'il te dit ? Tu perçois des images ? Comment se manifeste ce que tu reçois ?

– J'ai tout en même temps. Aussi il faut que je fasse très attention parce que ça passe par mes filtres et ça peut être déformé. L'interprétation c'est toujours le problème.

– Déformé de quelle manière ?

– L'information passe à travers moi, par mon vécu, ma banque intérieure. Parler avec un défunt c'est un peu comme le bouche-à-oreille : au bout d'un moment l'information initiale peut être un petit peu altérée.

– Te dit-il des mots ?

– Par moments oui.

– Alors comment se fait-il que s'il est là, vivant, tu ne puisses pas entendre des phrases, poser des questions et avoir une réponse longue, par exemple ?

– Je pense que c'est plus lié à mon stress, parce que quand il me parle je l'entends. Mais le challenge de ce que l'on fait maintenant augmente mon stress, ça filtre et rend les choses beaucoup plus confuses…

– Mais pourquoi le stress agit-il comme ça ? Si je parle devant toi maintenant, que tu stresses ou non, tu vas parfaitement m'entendre. Qu'y a-t-il de différent avec lui ?

– Ça ne passe pas par les mêmes voies. On peut dire que j'*entends* des choses qu'il me dit, mais ce n'est pas physique, ce n'est pas mon tympan qui vibre et qui transmet une information au cerveau. Dans ce cas, il s'agit d'une onde beaucoup plus subtile qui est captée par un autre sens que l'on appelle la « clairaudience ». Et si mes corps énergétiques sont brouillés parce que je stresse, l'information captée de cette manière va être soit modifiée, soit altérée, soit carrément bloquée. C'est un peu comme un poste de radio devant lequel tu diffuserais un champ électromagnétique, le poste ne pourrait plus rien recevoir…

– Mais alors, comment es-tu sûre que ce que tu as capté au début par exemple n'était pas déjà déformé ?

– Je n'en ai aucune certitude. La seule manière d'être sûre vient de la validation, par toi par exemple, des informations que j'ai données. Le doute est permanent. Et quelque part heureusement, parce qu'à partir du moment où on commence à avoir des certitudes, on peut d'autant plus se tromper.

– Mais n'as-tu pas développé des outils intérieurs pour valider seule tes ressentis ? Parce que là, quand tu as commencé la séance, tu as décrit beaucoup d'éléments sans me demander une seule fois si c'était juste ou pas. Tu avais l'air en confiance.

– Oui, c'est vrai. En fait c'est parce que ça m'est venu comme une avalanche, en cascade. Et quand ça vient de cette manière, sans que ma volonté intervienne, c'est bon signe. Ça veut dire que ça ne vient pas de mon imagination ou qu'il ne s'agit pas d'une projection de ma part, mais bien de la personne qui demande à s'exprimer.

– Comment sens-tu la différence ?

– Ça s'impose à moi. Je me sens poussée.

– Donc il faut réussir à trouver le moyen de t'apaiser au maximum pour que tu puisses être disponible à ce qui vient.

– Oui.

– Je te propose un exercice : essaye de te détendre, de faire le vide et je vais demander quelque chose au monsieur sur la photo. Penses-tu, dans la spontanéité, être plus à même de capter ce qu'il va dire ?

– On peut essayer, oui.

En parlant de ses mondes et des êtres qu'elle perçoit, Loan est toujours très vigilante à ne pas s'identifier à eux. Les sentiments, les émotions, les idées qu'elle capte ne sont pas les siens. Attentive à son ancrage, elle sait qu'oublier ne serait-ce qu'un instant de maintenir une barrière étanche entre elle et les forces invisibles qui se manifestent l'expose, comme nous-mêmes le serions dans une situation similaire, au risque de sortir complètement de sa vie et de devenir finalement un pantin animé par des forces *extérieures*.

Schizophrène.

Elle rejoint ici Pierre Yonas lorsqu'il évoquait les influences parfois délétères qui peuvent exister entre vivants et défunts. Loan suspecte que de nombreuses personnes qualifiées de « dépressives » sont influencées sans s'en rendre compte par des personnes décédées et en souffrance. Ces personnes n'en ont pas conscience, souvent d'ailleurs parce qu'elles n'y croient pas elles-mêmes. Les médicaments permettent de couper leurs ressentis, aussi ont-elles l'impression d'aller mieux mais le problème n'est pas réglé. La dépendance émotionnelle et énergétique est toujours là.

Cette méconnaissance de l'influence des liens énergétiques entre le monde des vivants et celui des esprits vient du fait qu'en Occident, le monde de l'invisible n'est pas reconnu comme étant une réalité. Pourtant, dans de nombreuses cultures, la relation aux ancêtres fait partie de la vie. On vit avec les fantômes au quotidien.

En Occident, étant coupées de cette réalité spirituelle, une majorité des personnes qui décèdent meurent en s'imaginant qu'il n'y a rien après. Elles débarquent dans l'au-delà sans savoir quoi faire, sans y être préparées et sans recevoir aucune aide des vivants qui leur étaient proches. Car eux non plus n'imaginent pas qu'il puisse être utile de parler aux défunts, *puisqu'ils sont morts*.

En se fermant à l'existence du monde invisible, on le subit. Car il est réel. Il est imprégné à notre réalité et nous impacte.

Loan est plus ou moins tout le temps en état de perception. Cette capacité n'est jamais complètement éteinte chez elle. Elle est ainsi parfois saisie de manière impromptue par les personnes décédées qui lui demandent de l'aide. En séance les choses sont différentes, plus préparées et attendues. L'arrivée d'un défunt lui évoque la sensation d'un atterrissage. Comme s'il n'y avait rien et une seconde après quelque chose qui descend et se densifie. C'est un peu comme si toutes les particules de l'air devenaient une sorte de vapeur plus dense que l'on se mettrait à percevoir. Cette densification s'accompagne de la sensation d'une présence, d'un poids à côté d'elle.

Dans les séances que pratique Loan, les manifestations d'un défunt coïncident en général avec l'évocation de ce dernier par le patient sur lequel elle est en train de travailler. Comme si entrer en résonance avec la personne décédée provoquait sa manifestation. Ça n'est pas fortuit. Dans le travail que fait Loan, le défunt vient car il va avoir un lien direct avec le processus thérapeutique en cours.

Mais au-delà des défunts, je l'ai dit, la particularité de Loan est qu'elle entre en contact avec d'autres sortes d'esprits. Les esprits des défunts ne sont pas les seuls dont les humeurs déteignent parfois sur nous, il y en a d'autres. Beaucoup d'autres.

Le visible et l'invisible fonctionnent en miroir.

Dans le monde visible cohabitent des millions d'espèces animales, végétales et même minérales. Rejoignant les plus anciens savoirs ancestraux, Loan explique que la même diversité existe dans le monde invisible. Les deux mondes, ces deux facettes du réel sont aussi riches et foisonnants l'un que l'autre.

Et il n'existe pas de frontière entre ces deux mondes.

Il n'existe pas de frontière entre le visible et l'invisible.

Ces deux réalités sont poreuses l'une à l'autre et ce de plus en plus car l'énergie de la Terre est en train de changer, ressent Loan. La dualité est une illusion. Dans l'absolu, le monde visible n'est pas séparé du monde invisible. Aussi, dans une sorte de grand mouvement pour retrouver cette unité originelle, les deux mondes, éloignés dans notre réalité actuelle, sont en ce moment même en train de se rapprocher. En fait, explique Loan, le monde visible constitue celui de la manifestation et de la matière où l'on est en mesure d'expérimenter cette séparation entre les objets et les êtres. Cela permet de vivre des situations, d'évoluer et d'accéder ainsi à une certaine connaissance. Le monde invisible, lui, est partout, omniprésent. Nous ne percevons que le visible, mais notre partie invisible est beaucoup plus vaste. Comme nous avons perdu ce contact avec cette part invisible de la réalité, nous nous sommes un peu trop identifiés à la matière. Il serait grand temps de retrouver notre essence et notre grandeur.

La matière est *juste* un espace d'apprentissage. Nous sommes avant tout des êtres célestes venus faire une expérience terrestre. Et c'est valable pour tout ce qui est vivant : un corps humain, un végétal, une pierre, etc.

Alors la personne avec qui nous communiquons depuis le début des tests, cette personne qui parfois peine à se faire comprendre, n'est-ce plus *mon père* mais *son essence*? L'être céleste qui se *cachait* derrière Jean-Pierre Allix toutes ces années?

Loan, qui a fait des études de biologie, propose un parallèle avec la thermodynamique. On parle de trois états dans cette discipline : l'état gazeux, l'état liquide et l'état solide.

Son parallèle repose sur l'idée que l'âme, ou l'être dans son essence, se trouve à l'état gazeux. C'est un gaz, donc évanescent, et on ne le voit pas. Pourtant il est là. Mais invisible.

Lorsque l'être va descendre dans le ventre de la maman, le gaz passe tout doucement à l'état liquide. Dans le ventre de la mère, le milieu est liquide jusque dans la structure de l'être : même les os ressemblent plus à de la gelée qu'à autre chose. Cet état liquide va progressivement se solidifier dans le fœtus, puis continuer après la naissance et ce jusqu'à l'âge de vingt et un ans. En effet, ce n'est qu'à vingt et un ans que l'on achève la solidification des tout petits os des mains et des pieds.

Nous voilà à l'âge adulte et finalement à l'état solide. État que nous conservons plusieurs décennies suivant notre santé. Puis autour de soixante, soixante-dix ans, selon les personnes, avec le début de la vieillesse, on repart vers un état liquide. On a des problèmes de circulation, on fait de la rétention d'eau, progressivement le corps se liquéfie pour revenir à l'état gazeux, à la mort physique.

De ce point de vue, on se rend compte que l'on fait partie d'un cycle naturel, il n'y a plus ni visible ni invisible. Seulement un cycle avec différents états qui nous permettent d'évoluer.

Je comprends mieux pourquoi mon père, maintenant qu'il est à l'état gazeux, a parfois des difficultés à partager des informations avec des médiums, donc des êtres à l'état solide.

Le plus surprenant est qu'il y parvienne tout de même.

Sans doute est-ce dû au fait qu'il conserve la mémoire de nombreux points essentiels de sa vie. Car ces souvenirs font partie de son apprentissage. On en revient à cette notion d'*individu* déjà explorée avec Pierre.

Au début des tests, j'imaginais que j'allais contacter mon père tel qu'il était de son vivant. Lorsque je pense à lui, je vois son visage, je me souviens de ses émotions, de ses mots... En somme, je reste fixé sur la personnalité que j'ai connue, sur son parcours de vie terrestre, ayant finalement une image très limitée de lui. Il ressort de toutes ces rencontres avec des médiums que la *personne* qui nous répond est bien réelle et bien vivante – je n'ai plus l'ombre d'un doute à ce sujet –, mais sans doute mon souvenir de mon père est-il assez éloigné de ce qu'il est redevenu maintenant qu'il est dégagé de son plan terrestre. Cet individu qui participe au test est encore mon père, je le sens – je sens ce lien, son amour pour nous –, mais dans le même temps il semble être bien plus que l'homme que j'ai côtoyé toutes ces années. Je le devine immense et inconnu.

D'ailleurs, que sais-je de l'être immense qui m'habite moi aussi ? En voilà une bonne question. Elle pourrait faire l'objet d'un livre entier, mais je devine déjà que seul l'engagement dans un parcours spirituel nous permet d'accéder à cette dimension de lumière et à appréhender un peu plus cet être céleste enfoui en nous.

Pourquoi a-t-on si peu accès sur terre à cet être si vaste et ne reprenons-nous conscience de notre essence qu'une fois morts ? Loan poursuit son explication assez déstabilisante, mais qui fait mouche. Si nous n'avons pas accès maintenant et consciemment à cet être, c'est qu'il est recouvert de *superflu*. Et ce superflu, c'est paradoxalement ce que l'on croit être notre identité profonde.

C'est ce que l'on appelle « moi ».

En général, on adore « moi ». On a envie de lui faire plaisir et de ne jamais le quitter. C'est trop cool d'être « moi », on voudrait l'être éternellement.

Or cet individu apparaît comme complètement artificiel.

Il n'est fait que de *réactions*.

Les contextes culturel, social, familial, historique, transgénérationnel, etc. dans lesquels nous naissons et grandissons, c'est cela qui crée ce moi, une personne dotée d'un caractère, de peurs, d'envies, de phobies, d'un avis tranché sur beaucoup trop de choses, de sentiments, d'émotions. « Moi » est si fragile que ça ? En définitive, « moi » existe-t-il seulement puisqu'il n'a été façonné presque exclusivement qu'en réaction à son environnement ?

« Moi » ne va pas aimer du tout que l'on pense ça de lui.

« Moi » n'est pas d'accord.

Pourtant, les jours, les mois, les années passent et notre essence a de moins en moins l'occasion de pouvoir s'exprimer parce que l'individu qui se façonne prend beaucoup trop de place. Assez tôt, cela se produit en général au cours de l'enfance, notre essence devient inaccessible. Et le moi apparaît fièrement, et commence à pérorer d'ordinaire dès la cour de récréation à l'école maternelle.

Pourquoi attendre la mort pour nous libérer de cette construction artificielle et nous offrir l'occasion de nous reconnecter à l'essentiel ? Pourquoi attendre la mort pour renouer avec soi-même ? Parvenir à réaliser cette reconnexion de son vivant sur terre ne serait-il pas utile pour vivre plus pleinement sa vie ? Comprendre le sens des épreuves qui nous arrivent ? Évoluer plutôt que subir ? Et n'a-t-on pas découvert depuis le début de ce livre que ce travail sur soi que l'on réalise durant notre vie a des prolongements après la mort ? Nous permettant d'y exercer plus de discernement et de nous y engager avec davantage de sérénité ?

Entrons un peu dans le détail de ce qui se produit au moment de la mort. Pourquoi a-t-on tout à gagner à y être préparé ? Après la mort, c'est-à-dire après que le corps physique a cessé de fonctionner, les corps subtils se rassemblent afin de former un ensemble cohérent pouvant se détacher progressivement de son véhicule de chair. Cette étape prend un certain temps, parfois plusieurs jours, et ce d'autant plus si la personne n'est pas préparée à son départ dans l'au-delà.

L'âme est alors en attente que le processus se déroule totalement. Elle suit son corps et assiste à ses funérailles. Une fois celles-ci accomplies, elle se retrouve sur un plan dit « terrestre », c'est-à-dire qu'elle est invisible matériellement tout en étant présente dans la réalité des vivants. À ce moment-là, différentes voies s'offrent à elle suivant son état, explique Loan, qui propose pour être plus parlante quelques exemples de parcours possibles.

Prenons le cas d'une âme en souffrance avant le décès et n'arrivant pas à *voir* au-delà de cette souffrance. Elle va rejouer ce contexte douloureux en boucle, comme un disque rayé, et rester piégée par ses propres projections jusqu'à ce qu'elle en prenne conscience. Il lui faudra alors certainement de l'aide, qu'elle vienne des prières de ses proches ou de l'intervention d'êtres lumineux ayant cette vocation. Autre exemple, une personne ayant commis des horreurs de son vivant. De la même façon, celle-ci se retrouvera noyée dans les méandres de la réalité qu'elle a créée. Pour ces deux cas, les âmes sont véritablement coincées dans des mondes illusoires qu'elles ont elles-mêmes façonnés.

Tous les médiums nous l'ont dit plus ou moins clairement, et cela semble un point incontournable du parcours lorsque le nouveau défunt n'était pas préparé : son âme se retrouve bloquée sur le plan terrestre. Certains ne se rendent pas même compte qu'ils sont décédés et retournent chez eux comme si de rien n'était. Loan a connu une dame qui vivait ainsi avec son mari mort depuis cinq ans. Elle sentait sa présence au quotidien : il était assis à côté d'elle sur le canapé pour regarder la télé et s'allongeait sur le lit pendant la nuit. Leur vie de couple n'avait presque pas changé… Cela ne dérangeait pas la dame. Au contraire, elle appréciait la présence de son mari.

D'autres âmes sont choquées et restent figées, sur un lieu d'accident par exemple. Elles sont plantées là, en dehors du temps et de l'espace, sans capacité à se mouvoir. Là encore, une aide est nécessaire à leur évolution. Nous l'avons dit : avoir passé sa vie à penser qu'après la mort il n'y a rien bloque beaucoup d'âmes qui, une fois de l'autre côté, sont complètement perdues car ce qu'elles vivent ne correspond pas du tout à leurs convictions; inversement, d'autres sont tétanisées par la notion d'enfer au point qu'elles préfèrent ne plus bouger plutôt que de risquer d'y tomber.

Une fois que l'âme a accepté le fait qu'elle a quitté son corps et qu'elle continue son voyage dans l'au-delà, elle passe par le tunnel de lumière si souvent décrit lors de témoignages d'expériences de mort imminente. Des êtres qui lui ont été chers dans cette vie et dans ses vies précédentes l'accueillent, ainsi que des êtres de lumière appelés aussi « guides » ou « anges »… Elle est alors prise en charge pour son évolution. Elle voit le film de sa vie se dérouler devant elle. Elle le voit souvent plusieurs fois, avec des ralentis et des retours en arrière, afin d'en tirer un maximum d'enseignements. Elle décortique chaque événement tout en étant épaulée et guidée par des êtres lumineux. Cette étape est extrêmement importante, elle conditionne la suite.

Si l'âme est abîmée, elle va dans ce que Loan appelle la « maison de convalescence des âmes », espace que les médiums appellent chacun d'une manière différente – quoique là aussi tous s'accordent sur l'existence de cette *zone de transition*. Dans cette dimension, paraissant assez virtuelle pour nous, êtres incarnés, l'âme trouvera les soins nécessaires à son rétablissement, ce qui lui permettra de poursuivre son cheminement dans de meilleures conditions. Si des éléments de sa vie demandent encore à être réglés, elle restera sur le plan terrestre pour le faire, avec des passages réguliers sur des plans plus subtils pour se rendre compte de son avancement et bénéficier d'une aide précieuse. Ce cas est très fréquent. Beaucoup d'âmes reviennent près de leurs proches pour combler des manquements et réparer des erreurs autant qu'elles le peuvent dans leur nouvelle situation. Enfin, si l'âme s'est libérée et qu'elle est prête pour *s'élever*, elle partira instantanément sur des plans d'évolution dits « de lumière ». Ces plans vibrent à des fréquences éloignées de notre réalité terrestre et plus ils sont hauts, plus ils sont difficilement accessibles aux médiums.

Ce qui en ressort tout de même, c'est que l'âme a le choix entre se réincarner sur terre (ou ailleurs) ou poursuivre son cheminement de manière subtile, sachant que ce choix est conditionné par son état d'avancement. La Terre, la planète de la manifestation dans la matière, offre bien des moyens d'apprendre et de se bonifier. Et ce n'est qu'après avoir pleinement acquis toutes ces leçons qu'il est possible de passer au stade suivant. Une âme peut alors devenir à son tour guide pour des êtres incarnés ou prendre une fonction au sein de l'organisation très complexe de l'invisible.

Pour en revenir au moment précis où l'on meurt, la partie physique de notre être cesse toute activité, alors que sa partie subtile se met intensément en mouvement. Cette dernière se réajuste, se met en cohérence, se structure, se détache et se modifie vibratoirement pour pouvoir continuer à évoluer dans l'au-delà. Ce processus est naturel et s'observe chez tout être vivant. Chez nous, humains, Loan a pu constater que l'énergie sortant des *chakras* (sas de communication entre le corps physique et l'environnement sous la forme de cônes, se situant sur sept points centraux entre le périnée et le sommet de la tête) se condense pour rentrer à l'intérieur du corps.

Ainsi, les chakras se ferment les uns après les autres en commençant par le plus bas. Le septième quant à lui reste ouvert car c'est par lui que l'ensemble va sortir. Les plans subtils de l'*aura* accompagnent le processus. Le tout forme alors une grosse masse d'énergie au niveau de la tête et au-dessus de celle-ci, puis s'échappe et passe sur un autre plan d'existence.

Parfois, le processus peut prendre son temps et survenir avant le décès. Lorsqu'une personne est proche de la mort, qu'elle soit malade ou très âgée, elle présente cette même configuration et a un pied dans chaque monde. Elle va et vient entre les deux réalités. Il n'est alors pas rare d'avoir l'impression de sa présence alors qu'elle est dans son lit, même à plusieurs kilomètres de distance, comme nous l'a longuement raconté Christelle et comme un grand nombre de personnel soignant en charge de patients en fin de vie peut en être témoin[1].

Si la mort s'est installée progressivement dans la vie de la personne, celle-ci a le temps de se préparer, de l'accepter et de savoir ce qui lui arrive. Par contre, si elle survient de manière brutale, il y a de forts risques qu'elle ne soit pas comprise. La personne n'est pas prête, elle était en plein élan de vie et ce changement soudain lui paraît impossible. Elle est alors tétanisée par le choc, puis dans le déni ou le rejet. L'ouverture de conscience que façonne une démarche spirituelle engagée au cours de son existence, ainsi que le fait de s'être connecté régulièrement à des sphères subtiles de lumière, quelle que soit sa religion ou sa croyance, permettent une compréhension plus directe et apaisée du processus de transformation qu'est la mort.

Mais pour notre société occidentale, la mort est l'ennemi numéro un. Nous nous sommes attachés à la combattre et ce par tous les moyens. L'inconscient collectif est marqué par cette prise de position et nous influence tous. Plutôt que de chercher à s'informer au sujet de la mort, beaucoup d'entre nous vont préférer l'affronter, la rejeter ou faire comme si elle n'existait pas. C'est bien dommage car en se comportant ainsi, on se coupe d'une partie de soi-même.

La mort fait partie de nous. Notre corps est programmé pour mourir. Il suit un cycle naturel dont dépend l'harmonie sur terre. Imaginons un peu comment serait la planète sans la mort : quel chaos ! La mort fait véritablement partie de la

1. Voir à ce sujet le chapitre III de Stéphane Allix et Paul Bernstein (dir.), *Expériences extraordinaires. Le manuel clinique*, *op. cit.*

vie, elle en est une composante nécessaire et saine. Mais il s'agit bien là de la *mort de notre véhicule matériel*. Notre âme, elle, poursuit son cheminement. La vie continue, mais sous une autre forme.

Les membres de la famille et les amis déjà morts sont les êtres les plus désignés pour accueillir un défunt et le rassurer quant à la suite. Lors de l'accompagnement de personnes en fin de vie, Loan a pu observer comme Christelle ce tunnel de lumière d'où émergent des proches sous la forme de silhouettes plus ou moins définies, parfois avec une apparence beaucoup plus jeune. Un sentiment de joie et d'amour immense en émane.

Lorsque je questionne Loan sur l'apparence qu'aurait l'au-delà, je suis très surpris par la révélation intime qu'elle m'en fait. Elle a en fait deux points de vue différents sur la question. L'un est nourri par son expérience d'accompagnement de fin de vie, moment où ses perceptions lui permettent d'observer tout ce qui arrive à une personne passant de l'autre côté. Et l'autre est tiré de son propre parcours, après qu'elle a elle-même vécu une expérience de mort imminente suite à une tentative de suicide.

Lorsqu'elle est simplement observatrice, elle voit une multitude de dimensions subtiles de densités, de couleurs et d'aspects très variés, dans l'immensité et la richesse de l'invisible. Tout se manifeste selon des spectres de fréquences qui entrent ou non en résonance, qui s'interpénètrent et créent différentes réalités.

Son impression personnelle est tout autre. Lors de son expérience de mort imminente, elle a tout de suite été prise en charge par des êtres de lumière et l'éventail de ses choix fut très restreint. Elle se souvient être arrivée dans un espace sombre et dense. Elle était en apesanteur. Autour d'elle se dressaient des silhouettes dans des tons bleu et violet. Elle se sentait en sécurité et entourée de bienveillance. Elle a longuement conversé avec ces silhouettes, puis elles lui ont demandé de redescendre, de revenir sur terre dans son corps. Elle a refusé. Elle ne voulait plus revenir dans sa vie de souffrance, il lui était impossible d'y retourner. Elle a alors négocié. Et ce n'est qu'après avoir trouvé un arrangement qu'elle a finalement accepté de continuer cette vie-ci.

Cette expérience a radicalement transformé son existence. L'au-delà fait depuis intégralement partie de sa vie. Pas seulement l'au-delà d'« après la mort », mais l'au-delà désignant l'infini des manifestations de l'invisible.

Espérant rattraper mon imprudence du début de séance où j'ai dit trop abruptement à Loan que j'attendais quelque chose de précis de la part de mon père, ce qui a eu pour effet de bloquer sa connexion à cause du stress, je tente le tout pour le tout. Quitte à ce qu'elle stresse encore plus, je vais lui révéler précisément l'objectif de cette séance. Mon espoir est qu'instantanément après ma question, dans une fraction de seconde de relâchement, mon père parvienne à court-circuiter l'appréhension de Loan et à lui transmettre les infos, le temps d'un clignement de paupières. Je me lance :

– OK… Papa, peux-tu dire à Loan ce que j'ai mis dans le cercueil ?

– Il me dit en rigolant : « Tu aimes bien jouer aux devinettes » ? Il aime rigoler quand même…

– Oui…

– Je vois une montre et une paire de lunettes. Il y a quelque chose qui me fait penser à des fleurs séchées, ou… je ne sais pas ce que c'est.

– Peux-tu me décrire ce que tu vois ?

– Comme du végétal mais sec… je vois aussi du tissu. Est-ce que c'est un tissu qui a du sens ? Tu me diras, tu valideras ou pas ?

– Oui, oui…

– Je vois aussi un stylo, un beau stylo. Il était dans l'écriture au niveau professionnel ? C'est comme si ce stylo représentait un don qu'il pouvait avoir.

– Oui, il écrivait… Bon, je l'ai appelé « papa », donc maintenant tu sais que c'est mon père.

– Je m'en doutais déjà un peu.

– Ah bon ? Comment ?

– Dans l'énergie, mais je n'en étais pas certaine. Tu vois, c'est cette part de doute qui m'a fait ne pas en être sûre, mais dans l'énergie il y a quelque chose de familier entre vous deux.

Pour ce qui est de la transmission de l'info en un clignement de paupières, ce n'est pas ça. Qu'est-ce qui s'est passé ? Mon père est-il reparti ? A-t-elle encore un contact, ou son imaginaire a-t-il pris le dessus ?

– Et alors là, dans les éléments que tu m'as donnés, comment les as-tu perçus ?

– Par des images. Je suis assez visuelle en fait.

– Mais alors comment sais-tu que c'est un défunt qui te les envoie et que tu n'es pas dans une perception extrasensorielle ? Ou dans ton imagination ?

– Parce qu'il est là. Je sens sa présence comme si c'était une personne incarnée. Ce n'est pas juste… comment dire, une vapeur sans personnalité, ce n'est pas neutre. Je ressens vraiment une personnalité, une façon d'être. C'est subtil et pas évident à décrire, mais je ressens cette volonté de communiquer de la part de la personne décédée. Son envie de participer, d'apporter un témoignage me pousse à dire des choses.

– Et là, qu'est-ce que mon père te pousse à dire ?

– Il est très amusé de la situation.

– Comment voit-il son rôle dans ce que l'on est en train de faire ?

– Le témoignage est ce qui est important à ses yeux. De témoigner qu'il y a autre chose de l'autre côté. Il parle aussi de la nature de l'homme… j'essaie d'être bien à l'écoute, de ne pas transformer son propos, il parle de l'importance de concevoir que l'homme n'est pas limité à ce qu'il pourrait croire, qu'il est bien plus complexe et riche qu'il ne le pense.

– Ça l'a surpris de découvrir ça ?

– Oui, vraiment. En même temps il y a une forme de soulagement chez lui, de libération. C'est quelqu'un d'émotionnel… c'est un chercheur, il aime découvrir et comprendre. Et se trouver face à cette immensité l'enthousiasme énormément. Son chemin de l'autre côté ne fait que commencer, il en est au début.

– S'il s'en souvient, pourrait-il me décrire le moment de sa mort ?

– Je reste fixée sur cette oppression dans la poitrine : « Je n'arrive plus à respirer, je suis bloqué », et en même temps il y a le cœur qui lâche… puis c'est la surprise, parce qu'il n'avait pas tout à fait fini sur terre. Il avait encore envie de réaliser des choses, il dit : « J'ai été pris de court »… et apparemment c'est lié à sa femme, donc à ta maman. Il se sent même coupable et voudrait lui demander pardon. Il n'a pas pu aller jusqu'au bout de ce cheminement avec ta maman…

Il semble que la connexion soit rétablie. Tout ce que

vient de dire Loan est juste. Mon père ne savait pas comment parler avec sa femme de ce qui allait se produire. Il avait évoqué avec moi et à plusieurs reprises le fait qu'il était anxieux à l'idée de la laisser seule.

– Se rappelle-t-il le moment du passage ?

– D'abord il y a la panique générale : « Qu'est-ce qui se passe ? » Panique devant cette incapacité à avoir le contrôle sur son corps. Parce que c'était un homme très intellectuel, très fort dans sa tête. Il avait l'habitude d'avoir une forme de contrôle mental. Et là, il ne peut plus du tout contrôler son corps, panique générale… Ensuite c'est allé assez vite finalement. Il me fait sentir que tout est devenu *vaporeux*, comme des petits nuages… un état d'apesanteur. Ce sentiment de légèreté, d'apesanteur a été progressif. Je le vois se décoller de son corps et s'observer depuis l'extérieur tandis que son corps peine de plus en plus à respirer. Mais lui n'est plus dedans, il est déjà spectateur de ce qui se passe et comprend que c'est terminé. Pourtant il reste auprès de son corps, je le vois… il se regarde mourir… c'est impressionnant. Il se regarde mourir et je le sens assez paisible. Il comprend ce qui se passe, qu'il ne peut pas agir, qu'il n'a plus le contrôle. Je vois des personnes qui viennent autour de lui pour l'aider. Il ne peut rien faire, il n'est plus en mesure de parler. Et voilà le corps qui lâche. Il reste à proximité, il ne s'en va pas tout de suite. En fait, il va être présent pendant toute la partie de préparation du corps, pour la cérémonie et même après. Il dit : « Je ne suis pas parti, j'ai mis du temps à partir, je ne pouvais pas laisser ma famille comme ça, trop de peine… je suis resté assez longtemps avant de comprendre que ma place n'était plus sur terre et qu'il était temps pour moi de passer à autre chose. » Il n'est pas parti tout de suite en fait.

– C'est vraiment étonnant. J'ai le sentiment que l'on est en train de communiquer et en même temps il y a cette distance que je sens à travers ses réponses, comme s'il n'était plus le même individu…

– C'est exactement ça. Il s'est désidentifié de la personne que tu as connue et il a retrouvé son essence. Il vit actuellement dans son essence qui est bien plus vaste que celle d'une personne incarnée sur terre. Alors il y a quand même des traits de personnalité qui demeurent, ou bien il joue simplement à les reprendre juste pour se faire reconnaître.

– Ah oui ?

– Oui, mais comme tu dis, il est ailleurs, il continue son chemin, il est passé à autre chose…

– Il te dit qu'il est resté près de son corps après la mort et pendant les funérailles, donc il a vu très clairement ce que j'ai mis dans le cercueil ?

– Il me dit : « Oui. »

– Et il t'envoie quoi ?

– Je vois un autre truc, comme une petite poupée de chiffon, une petite poupée d'Amérique du Sud, je ne sais pas pourquoi…

– Je ne peux pas te faire de retour pour l'instant.

– Une petite poupée très basique. Il y a des couleurs, du tissu coloré… Ce sont des images qui descendent d'un coup et arrivent devant mon écran intérieur. Ça peut être symbolique, hein, parfois il ne faut pas prendre les images que je vois comme telles mais comme des symboles.

– Il se montre, lui, dans son cercueil ?

– Quand je suis avec lui devant son cercueil, je le sens très énervé, très en colère.

– Pourquoi ?

– J'ai l'impression que les choses ne se sont pas passées

comme il aurait voulu… je l'entends dire : « Simple, quelque chose de simple. » Il est énervé… on va essayer de traverser cette émotion pour passer au reste… et puis il y a cette colère de ne pas avoir fait tout ce qu'il aurait aimé faire sur terre. On va revenir au cercueil…

N'est-il pas plutôt en colère de ne pas parvenir à faire comprendre à Loan la nature des objets que j'ai cachés dans son cercueil ? Quand Loan a répété ce que mon père disait : « Simple, quelque chose de simple », j'ai vraiment eu la sensation qu'il s'adressait à elle pour lui dire : « Mais nom d'une pipe, c'est pourtant simple, quelque chose de simple ! » Sous-entendu : « Ce que je t'envoie, pourquoi n'arrives-tu pas à le voir ?! C'est pourtant quelque chose de simple ! » Mon interprétation est tout à fait subjective, mais après tout ? Elle pourrait bien être juste, car le début de la séance avec Loan m'a convaincu de la réalité du niveau de connexion établie entre elle et mon père. Et depuis maintenant un certain temps, c'est son émotion à elle qui distord tout ce qu'elle reçoit.

– J'essaye de bien comprendre : lorsqu'on est dans la spontanéité, que tu n'as aucune attente, les informations arrivent et sont très justes, mais au moment où je pose une question, on a l'impression que ça part dans tous les sens.

– Oui, c'est ça. Je vois des choses mais ça n'a plus de sens.

– Comme si ton imaginaire se mélangeait à d'autres choses ?

– Oui, je le pense, tout se mélange. Et ce qu'il faut savoir c'est que quand les défunts sont passés par différentes étapes, ils oublient aussi. C'est-à-dire que ce qui est matériel est balayé. Pour eux ça n'a plus vraiment d'intérêt.

– Oui, mais il sait, et il te l'a confirmé, qu'un des éléments importants de ces séances est de donner ces réponses que j'attends.

– Je finirai bien par y arriver. Je vois plein de choses mais ça va dans tous les sens…

Non, elle ne va pas finir par y arriver. Malgré une connexion manifestement très forte et vraiment convaincante en début de séance, Loan ne va pas parvenir à me donner sans ambiguïté un seul des objets.

Je tire cependant un grand enseignement de cette séance avec elle. Outre le partage de son parcours à peine croyable et l'univers qu'elle m'a permis de découvrir, la partie test que nous achevons sur une petite déception reste à proprement parler très riche d'enseignement. Ce test complète les autres, notamment celui réalisé avec Christelle. Il démontre l'importance décisive du facteur émotionnel dans une séance de médiumnité. Cette donnée est à retenir, et à prendre en compte pour qui voudrait mieux appréhender les possibilités et les limites de cette pratique.

Poser une question vous expose à ne pas obtenir nécessairement une réponse correcte.

Florence

Florence Hubert est la toute première médium que j'ai rencontrée, cela va bientôt faire dix ans. Ce jour-là je découvrais en quoi consistait une séance de médiumnité publique et pour elle qui à cette époque se lançait à peine dans le métier, c'était également un début. Assis dans la salle parmi plusieurs centaines de personnes, je fus surpris de voir qu'elle et les autres médiums présents semblaient percevoir des défunts parmi nous, et que les détails qu'ils donnaient à leur propos étaient souvent précis. Cela soulevait une grande émotion chez les gens qui reconnaissaient qui un enfant décédé, qui un parent.

Mon frère Thomas était mort depuis quelques années et je nourrissais l'espoir qu'il se manifeste. Aussi étais-je à la fois stupéfait et très curieux de ce qu'elle s'apprêtait à m'annoncer lorsque, depuis la scène où elle se trouvait, Florence s'adressa à moi pour me dire qu'elle percevait une personne défunte debout à mes côtés. Malheureusement, l'organisateur de l'événement l'interrompit car il avait pris du retard sur son programme, et je n'eus jamais le fin mot de l'histoire.

Depuis lors, j'ai eu l'occasion de travailler à de très

nombreuses occasions avec Florence et de constater la précision et la force de ses capacités médiumniques. J'ai ainsi pu observer qu'elle parvient bien en général à gérer son émotivité, même si comme tous les sensitifs elle y reste sujette. Pas tant dans ses séances privées ou publiques que dans des tests comme celui que nous allons mener aujourd'hui. Elle a en effet accepté de se soumettre à diverses expériences avec moi, dans différents cadres. Et les résultats ont été estomaquants à plusieurs reprises.

Malgré tout je suis inquiet. J'ai bien vu que même si toutes les séances précédentes étaient réalisées dans un climat de confiance mutuelle, la peur de ne pas réussir a été notre principal handicap, quelles que soient les qualités du médium.

Je sais à présent en effet combien il est difficile pour un médium d'être transparent, c'est-à-dire dans un état de perception totalement vierge de toutes influences psychologiques personnelles. Je sais par ailleurs que de l'autre côté, il est manifestement délicat de se mettre en phase avec mes attentes, et que mes priorités ne sont pas nécessairement celles des défunts, et de mon père en particulier.

Je décide néanmoins de commencer la séance sans donner à Florence aucune indication, comme avec les autres, ni même lui montrer d'emblée la photo. De la sorte, en lui demandant de capter tout ce qui émerge, je prends le risque de voir surgir des personnes impossibles à identifier, et de perdre ainsi du temps et de l'énergie avant d'en venir à mon père. Mais je sens ce dont Florence est capable, et je voudrais comprendre ce qui motive l'arrivée de tel ou tel défunt.

Curieusement, c'est Vadim qui se manifeste en premier, ce jeune Français décédé dans l'accident qui emporta également mon frère[1]. Florence me décrit en effet plusieurs détails qui me conduisent très vite à comprendre qu'il s'agit bien de lui. Notamment des particularités dont je n'ai jamais parlé. Pourquoi vient-il ? À entendre ce qu'il exprime par l'intermédiaire de Florence, il tient essentiellement à me dire qu'il se porte bien, qu'il est bien *passé* de l'autre côté et n'a pas souffert. Il apparaît joyeux à Florence qui me dit qu'elle le voit plisser les yeux en rigolant. J'ai ce souvenir de lui effectivement, Vadim avait un regard espiègle et rieur, et des yeux en amande derrière lesquels se devinaient une grande sensibilité et beaucoup d'intelligence. La rencontre est inattendue et émouvante. Cela dure une dizaine de minutes, de façon assez nette et directe, sans hésitation, puis une autre personne intervient soudain. Florence n'a aucune photo, je le rappelle.

– Ton père est décédé ?

– Oui.

– Il avait toute sa tête ?

– Je vais t'en dire le moins possible…

– Ah d'accord… J'ai un homme qui n'a pas toute sa tête, j'ai la tête qui me tourne. J'ai aussi beaucoup d'amour à donner qu'il n'a peut-être pas su communiquer. J'ai le chiffre 2 en rapport avec lui. Tu as encore un frère ?

– Oui.

– Vous étiez trois enfants ? Donc deux qui restent et un parti, c'est ça ?

– Oui.

---

1. Voir Stéphane Allix, *La mort n'est pas une terre étrangère*, *op. cit.*

– C'est comme s'il me dessinait un L, ou un début de I… Comment s'appelle-t-il cet homme-là ?

– Si ça ne te dérange pas, je préfère ne rien dire…

– Ok… euh, le L… peut-être Louis…

– Louis ? C'était le nom de son père.

– Il a retrouvé Louis.

Sans aucune indication, il semble assez nettement que c'est mon père que capte Florence : « un homme qui n'a pas toute sa tête », c'était son cas à la fin de sa vie ; un problème de communication en lien avec l'amour, oui, nous l'avons vu ; et Louis. Pour un premier prénom donné si vite, tomber *par hasard* sur celui de mon grand-père, il faut avouer que ce serait une sacrée coïncidence. Mon père se manifeste donc spontanément, sans que j'aie eu besoin de montrer sa photo. Et Florence l'a perçu instantanément comme étant mon père. Ça commence très bien.

– J'ai quelqu'un qui a du caractère, il faut respecter ses choix. Il y a combien de temps qu'il est parti ?

– Un an et demi.

– Tu lui ressembles… oh oui, je vois son visage. Il n'a pas de regret concernant son parcours terrestre, mais il en a sur la fin de sa vie. Il y a quelque chose qu'il a du mal à assimiler. Est-ce qu'il a eu peur de mourir ? Je sens cette appréhension… j'ai de grandes respirations… il est parti à l'hôpital ?

– Oui.

Florence a inspiré avec force pour accompagner sa dernière question. On pourrait dire d'à peu près n'importe qui sans risque de se tromper qu'« il a eu peur de mourir », mais elle évoque cette difficulté respiratoire caractéristique de mon père.

– C'est un monsieur introverti, il a du mal à exprimer ses

sentiments. Il demande pardon pour n'avoir pas su donner d'explications. C'est quelqu'un qui aime bien être dehors, la verdure, il aime bien une maison avec un espace devant… Il pouvait avoir des moments de détresse ton père ? Des moments de solitude ?

– Oui.

– Il me dit : « Tu vois une huître ? Ça se referme. » Voilà, c'est lui : il s'enferme et ne fait pas ce qu'il faut avec les gens…

Florence est manifestement certaine qu'elle communique avec mon père. Je ne le lui ai pourtant confirmé à aucun moment. Je reconnais son assurance quand ses perceptions sont très fortes. Elle a évoqué notamment cette ressemblance entre moi et celui qu'elle voit. Ce qu'elle ajoute est exact quant à son caractère : un homme introverti, fermé comme une huître dès lors qu'il s'agissait d'exprimer ses sentiments. Exacte aussi la mention de son amour de la nature, de cette maison avec un espace extérieur… Nous sommes avec lui sans conteste. Je décide de sortir la photo. Elle la regarde.

– C'est bien lui que je vois… je l'ai plus jeune, c'est pour ça que tu lui ressembles. Il ne buvait pas ton père ?

– Si…

Je sens que Florence a été gênée de me demander ça. Je lui ai répondu par l'affirmative sans plus de détails.

– Il me titille un peu avec les bouteilles. Je ne sais pas ce qu'il va chercher là-dedans mais il va le chercher de temps en temps… Les bouteilles, on les pousse derrière… j'ai un regret et un pardon à te donner, et certainement au reste de la famille aussi…

L'alcool n'était pas à proprement parler un problème pour mon père, mais il était présent au quotidien dans sa vie. Pas un repas sans vin rouge, midi et soir. Plus les apéritifs. Au point que durant les dernières années, sa consommation d'alcool avait impacté sa santé. Mon frère et moi avons réussi à nous dégager de cette dépendance psychologique destructrice au prix d'un effort soutenu.

Car lorsque la réalité nous fait peur ou nous désespère, l'alcool est le moyen idéal, et légal, pour ne pas la regarder en face. Dans un monde où l'on ne trouve pas aisément sa place, il procure un espace de repos, certes passager et illusoire, mais tellement bienvenu. Il permet de se mettre sur pause quand on n'a plus la volonté d'essayer de comprendre ses peurs, quand tout est trop dur, trop inconfortable. L'alcool autorise cette douce fuite, cette tendre déresponsabilisation. Pourquoi se regarder en face quand on peut aisément remettre ça au lendemain ? Et le problème devient vite insurmontable, car demain est toujours demain.

L'alcool témoigne aussi chez ceux qui en font une large consommation, comme ce fut le cas dans notre famille, d'une envie irrépressible de s'engager sur un chemin spirituel… dont on n'a pas trouvé le seuil.

Alors on s'épuise, on s'étiole, on a de moins en moins le courage de faire autrement et l'énergie nous abandonne. L'alcool est une mort permanente. C'est un piège. Un piège terrible. Il ne permet pas le passage vers autre chose comme le propose la mort, il fige tout. Il fige la vie, l'amour, l'énergie, le courage. Il nous enferme dans une spirale anesthésiante où finalement la vie s'écoule, on vieillit, et l'on réalise souvent au dernier moment que l'on est passé à côté.

La solution est pourtant simple : arrêter. Comprendre que la discipline exigeante de l'abstinence nous rend libres et vivants à chaque instant. Alors bientôt se révèle à nous ce qui était demeuré invisible jusqu'à présent : les réponses.

La vie prend tout son sens quand on le façonne soi-même.

Car le sens de la vie ne tombe pas tout droit du ciel.

Personne ne nous l'offre. Ni Dieu, ni Bouddha, ni aucun être humain. Personne d'autre que nous-mêmes.

Mais nous touchons là un des problèmes essentiels de notre époque qui parvient à nous faire croire que l'épanouissement professionnel, personnel et même spirituel passe par un cheminement confortable et *divertissant*. Alors nous sommes entraînés dans cette course à la consommation, à l'oubli, et même la spiritualité devient un *produit* plutôt qu'un chemin d'efforts et de remises en question. Or, la liberté, la lumière et le sens de l'existence ne s'acquièrent pas en se protégeant du monde, mais en lui faisant face à chaque seconde, avec confiance et espérance. Cela signifie amener de la lumière sur chaque zone d'ombre que l'on suspecte. Mais non, on préfère la camoufler et ne surtout rien changer : lorsque des choses ne vont pas, on se dit que ça pourrait être pire alors on ne fait rien, et le week-end on s'éclate, on fait la fête, on se divertit. Et la vie file ainsi.

Heureusement finalement que la mort nous délivre de notre couardise ou de nos appréhensions et nous offre l'occasion de redevenir épisodiquement qui nous sommes.

L'alcool a donc sans doute protégé mon père, mais il l'a aussi éloigné d'une certaine forme de paix intérieure. Ce point lui est manifestement apparu plus clairement après sa mort.

Nous sommes tous des médiums. Chacun d'entre nous possède cette capacité à percevoir ce qui demeure inaccessible à nos sens communs. Chez beaucoup cette aptitude est embryonnaire et ne va jamais s'exprimer, elle peut même être réprimée. Elle va à l'inverse devenir trop envahissante voire incontrôlable chez d'autres, au point de les conduire au bord de la folie. Et puis certaines personnes vont parvenir à la développer, à la nourrir, à la comprendre et a en faire un usage stupéfiant, comme les médiums que j'ai rencontrés tout au long de ce livre. Comme Florence Hubert. Oui, sans conteste, l'être humain est outillé pour percevoir ce monde subtil et invisible, peuplé d'esprits, de guides, d'énergie et de défunts, qui nous entourent et font partie intégrante de notre réalité.

Aussi loin qu'elle remonte dans son enfance, Florence a toujours eu des flashs, des moments d'intuition saisissants, et aussi entendu des voix. Avant de parvenir à l'âge adulte, elle a un rapport complexe avec ces perceptions. D'abord objet de petites frayeurs mêlées de curiosité, elles vont être la cause d'un rejet important et de souffrances durant l'adolescence. La solution vient à l'âge adulte : tout fermer, refuser cet accès et vivre une vie normale de femme mariée, une vie confortable avec enfants, maison, vacances en Corse, belle voiture, etc. Mais sous la chrysalide des apparences, l'être est à l'étroit. Et c'est aux portes de la mort, à l'âge de quarante ans, que Florence comprend qu'elle ne peut fuir indéfiniment qui elle est vraiment. La révélation va être violente.

Lorsqu'elle est petite, Florence entend régulièrement des murmures et des voix qui l'appellent. Son frère, qui a trois ans de plus qu'elle, perçoit également des « choses ». Mais les enfants ne parviennent pas à mettre de mots dessus. Ils en parlent peu, les adultes disent toujours que c'est leur imagination. L'éducation religieuse qu'ils reçoivent à l'école parle du paradis, de l'enfer et du purgatoire. Sans doute s'agit-il de fantômes ? Alors la peur s'installe parce que les fantômes, « ça fait peur ».

Mais Florence ne voit rien, enfin pas tout de suite. Elle raconte que cela a commencé par des ressentis de présences. Avec le temps, effectivement, elle se met à voir des ombres, à sentir des caresses dans ses cheveux, des frôlements. Des voix continuent de l'appeler : « Florence. » Elle en ignore l'origine comme la raison. À l'école, les rares fois où elle tente d'en parler, elle déclenche la moquerie et les blagues de ses camarades.

Alors elle va gérer ça toute seule.

Enfin… pas complètement toute seule.

Même si Florence est très tôt débrouillarde et autonome, elle a depuis sa naissance un allié de poids : son guide. Un guide entré en relation avec elle de la plus singulière des manières.

Quand je lui demande comment s'est faite la rencontre, Florence hésite, puis se lève. « Je vais te montrer mon copain mais tu ne te fiches pas de moi, hein ? » Elle sort alors une vieille peluche jaune d'un carton, et me déclare : « Voilà mon ami intime. » Elle m'explique qu'elle a eu cette peluche en forme de chat jaune à sa naissance et que c'est à elle qu'elle parlait enfant. Je ne comprends pas, et le lui dis. Elle me raconte alors que lorsque par exemple elle percevait des présences ou qu'elle entendait *quelque chose* qui lui faisait peur, elle prenait cette peluche dans les bras et se confiait à elle. Le fait étrange, mais qui était au départ parfaitement naturel pour la petite fille de l'époque, est que quand Florence lui demandait quelque chose, la peluche lui donnait une réponse *dans sa tête*. Ce petit jouet de tissu a été en quelque sorte un fil conducteur de sa relation avec son guide. Florence ne le quittait jamais. Chaque nuit le petit chat jaune dormait avec elle et Florence lui parlait comme à un confident. En toutes occasions, elle continuait de l'interroger et d'obtenir des réponses. Les sujets pouvaient concerner ses amis, ou n'importe quel autre sujet.

Aujourd'hui, Florence a compris depuis longtemps que les peluches ne parlent pas, et explique que l'objet a servi de *convention* entre elle et ce guide dont elle n'a découvert l'identité que bien plus tard.

Au départ donc, cela s'opère de manière totalement inconsciente : une petite fille qui parle à son jouet. Que le jouet réponde n'est pas anormal pour un enfant. Puis en grandissant elle comprend qu'une autre réalité se dessine. Elle entend une voix, mais dans sa tête, et ce n'est pas la sienne. C'est la première fois qu'on me confie qu'un guide s'est servi d'une peluche pour ouvrir le dialogue avec une personne. Il fallait y penser.

À présent, la peluche est précieusement conservée dans une boîte et Florence n'en a plus besoin puisqu'elle sait désormais comment fonctionne sa relation avec son guide. La peluche a toutefois servi d'intermédiaire pendant plus de vingt ans. En effet, elle ne l'a rangée dans sa boîte qu'après la naissance de sa première fille.

Combien de fois Florence aura-t-elle entendu sa mère lui demander : « Mais à qui tu parles ? », tant le dialogue avec l'invisible et plus particulièrement avec ce guide a toujours fait partie de sa vie. Elle a une sorte d'ange, de protecteur qu'elle ne voit pas mais qui lui donne tout le temps des conseils. Il la protège, l'éloigne de certaines personnes qui pourraient la blesser. À l'école par exemple sa voix la met en garde contre une relation qui peut être compliquée et l'atteindre dans sa sensibilité d'enfant. Une protection inestimable, juge-t-elle aujourd'hui. « Je ne l'échangerais pas contre deux barils de lessive, c'est sûr », dit-elle en riant.

Florence reste une enfant solitaire. À la puberté, elle devient un garçon manqué. Elle est de plus en plus mal à l'aise avec les autres et préfère se tenir à l'écart. À cet âge où l'on se construit, elle a plutôt l'impression de se démolir. Seule la danse qu'elle pratique beaucoup la maintient dans une forme de relation sociale. Mais alors que ses copines sortent, s'amusent et adorent s'apprêter, Florence reste dans son coin, garde les cheveux coupés court, porte des jeans, de grands T-shirts sans forme et des sabots. Cet enfermement va durer deux ans. Même si elle ne montre rien, on considère qu'elle est bizarre et la solitude lui semble être la seule solution pour se prémunir des railleries.

Si bien qu'à partir de son entrée au lycée, après avoir été très fragilisée en raison de *sa différence*, Florence décide de s'intégrer coûte que coûte. Elle n'a plus envie de vivre ce qu'elle vit. Elle veut s'éclater avec les copains et ne plus entendre de réflexions sur le fait qu'elle est à part. Mais comme les perceptions demeurent et qu'elle ne sait pas comment les stopper et ne plus entendre la voix de son guide, elle décide de faire systématiquement l'inverse de ce que la voix lui recommande. Cela ne va pas être sans lui causer quelques soucis. Les barrières sautent, les mauvaises fréquentations se succèdent. Entre bêtises d'adolescente, imprudences et une sensibilité qu'elle ne peut éteindre, Florence passe d'un extrême à l'autre. Ça va loin. La police en vient à faire quelques visites à la maison. Malaise.

Alors qu'elle avance dans l'adolescence, Florence vit constamment sur le fil du rasoir entre le monde matériel et cet univers spirituel au sein duquel elle sait que des choses existent, même si elle n'en comprend pas la nature. « Tu n'es pas folle, Florence, mais n'en parle pas, et vis avec en silence», finit-elle par se dire. Et c'est ce qu'elle va faire.

Autant dans son enfance ce dialogue avec une poupée a été rassurant, constructif, autant lorsqu'elle se marie et devient mère de famille, elle veut comprendre d'où vient cette voix. Elle a alors besoin de mettre des mots sur cette partie d'elle-même et de sa vie. Alors elle *demande*, et un beau jour elle vit une expérience qui va la marquer à jamais : son guide lui apparaît.

Cela arrive en pleine nuit. C'est comme une décharge d'amour inconditionnel. Un événement hors de tout contrôle. Une sensation venant d'en dehors d'elle. Florence se sent alors terriblement bien, elle est bouleversée et entend cette voix si familière lui révéler son prénom. Tout en elle comprend ce qui arrive et la portée de ce que cela signifie. C'est son guide, elle le sait. Ce n'est pas elle qui imagine ce qu'elle ressent à l'instant, c'est tout bonnement impossible. Elle vit la puissance d'une connexion avec un maître supérieur. C'est plus puissant qu'elle, ça la traverse, elle est submergée d'une déferlante de bonheur. À cette époque, elle n'a rien lu sur les guides ou sur quoi que ce soit de ce genre. Elle n'emploie d'ailleurs même pas le mot «guide» mais l'appelle «mon copain».

Florence vient d'avoir vingt ans, et un bébé. Elle ne révèle rien de cette partie d'elle à son mari. Il ne l'entendrait pas. C'est dur pour elle. C'est un accident de voiture qui va sonner la fin de cette relation. Un choc émotionnel qui provoque le divorce. Le plus curieux est qu'aujourd'hui cet homme est non seulement au courant de l'activité de son ex-femme, mais ils sont maintenant en très bons termes, et il vient même parfois la consulter.

Depuis l'adolescence, Florence évoque ces sujets avec sa mère, ce qui l'aide beaucoup. Un peu plus d'un an après cette rencontre bouleversante avec son guide, c'est donc grâce à sa maman que va se produire un autre événement important, lors d'une entrevue avec une médium installée à Nantes.

En entrant dans le cabinet de cette femme, la médium dévisage Florence et lui dit tout de go : « Je suis heureuse de te voir, Florence », et elle ajoute que son guide l'attendait et elle lui dit comment il s'appelle... C'est le même prénom que celui qu'il a murmuré à Florence lors de cette nuit si intense. Cette confirmation est un choc. La médium poursuit ses révélations et Florence se voit répétées des choses qu'elle pressentait depuis longtemps. Par exemple le fait que son guide et elle avaient été frères jumeaux dans une vie antérieure, chose que Florence avait dite à sa mère intuitivement des années auparavant.

Cette femme va beaucoup aider Florence à s'y retrouver, à se rassurer, à mieux comprendre ce qu'elle reçoit de l'invisible, à mettre enfin des mots sur le monde de l'au-delà. Elle lui annonce par ailleurs qu'elle-même va devenir médium, et que ses perceptions vont se développer de plus en plus. Florence a alors vingt-cinq ans.

Mais peu après, elle fait la connaissance de l'homme qui va devenir son second mari et elle replonge la tête la première dans un monde hypermatérialiste. À nouveau, elle ferme tout à double tour. Florence est à l'époque préparatrice en pharmacie. Deux enfants naissent de ce second mariage. Quelque chose n'est pourtant pas à sa place dans cette vie, mais voilà, l'existence est confortable et l'argent dispense de trop s'interroger.

Les prédictions de la médium se confirment cependant de jour en jour : les perceptions de Florence augmentent. Cela devient envahissant, même si elle ne s'en livre pas à son mari. Plus le temps passe, plus Florence ressent, voit et entend. *Quelque chose* se développe en elle. Cela devient évident mais Florence le refuse. Plus elle refoule, plus ça devient pressant. Jusqu'à l'explosion, le 25 août 2001, le jour où Florence est morte.

Dans son appartement au nord de Toulouse, Florence se tient assise en face de moi. Depuis un certain temps, elle est en communication avec mon père. Comme avec les autres médiums, il évoque différents éléments de sa vie et de sa fin de vie. Florence me dit l'entendre, observer des images qu'il lui envoie.

– Je le vois s'asseoir et se lever, et il ne tremble plus sur ses jambes. Je le sens solide aujourd'hui, solide dans sa tête.

Dans ses dernières semaines, mon père peinait à marcher et nous devions l'aider. L'image que me transmet Florence est nette et juste.

– La perte de ton frère a détruit cet homme. Il me dit que « ça a été un grand drame ». Après le décès de ton frère il n'était plus comme avant… il y a des trucs qui ont dû péter…

– Oui.

– Tu as une fille ? Parce qu'il me dit : « Pour la fille, elle est belle, il faut lui dire que le grand-père veille et il faut pas qu'elle ait peur. Elle a peur de sa réussite personnelle, ta fille ? »

– Je le lui dirai…

– Il me dit : « Je gambade. » C'est bien ça, il ne marchait pas beaucoup à la fin ce monsieur ?

– Non.

– « Je gambade », me dit-il. Il est heureux, il a retrouvé son fils là-haut. Mais je n'ai pas ton frère, ce n'est pas le jour…

– Peut-il me décrire sa fin de vie ? Et après ?

– Il est relativement seul en fin de vie cet homme-là. C'est bizarre, ou il a perdu le fil de la vie, ou il y a un truc qui n'arrive pas à se mettre en place dans sa tête. Il a peur de partir de l'autre côté. Après, c'est comme s'il y avait un laisser-aller brutal… c'est bizarre, je ne sais pas pourquoi, mais même s'il est déconnecté de quelque chose à l'hôpital il entend ce que les gens disent, il est content, on ne dit pas de mal, il est content… Le J… comment il s'appelle ton père ?

– Jean-Pierre.

« On ne dit pas de mal », cela se rapporte-t-il au soin méticuleux que je mettais à ne prononcer aucun mot négatif alors que je lui parlais dans ses derniers instants ?

– Il rayonne, il est heureux d'être là, il a retrouvé des amis. Tu demanderas à ta mère, je crois que c'est René, oui… René, un très bon ami à lui qu'il a retrouvé de l'autre côté.

Un de ses plus proches amis s'appelait René. Est-ce de lui qu'il s'agit ? Hasard ? Ce René était mort dans un accident de voiture en Angleterre.

– Oui, un de ses amis s'appelait René, je réponds.

– « On discute », voilà ce que j'entends. C'est quelqu'un d'intelligent, il n'aime pas être dérangé, il y tient beaucoup… tu lui as dit au revoir ?

– Oui.

– Il me dit : « J'aurais voulu te dire encore au revoir, au revoir. » Je ne sais pas quelle relation tu avais avec lui mais c'est quelqu'un qui avait du mal à s'exprimer, c'est évident. Il aurait voulu dire encore pas mal de choses mais il ajoute : « Il ne faut pas vous sentir coupables. » C'est bizarre… « pour moi, c'était écrit comme ça… J'avais espoir de retrouver mon fils ». Il voulait retrouver ton frère, il avait espoir de le revoir… Le mois de juin est important pour ce monsieur.

– Il est mort en juin.

Notre dernier au revoir me reste présent avec une grande netteté. C'était le vendredi soir, il allait mourir le dimanche après-midi. Ce qui est curieux ce jour-là, c'est que j'ai fait l'aller-retour de Paris juste pour rester quelques minutes avec lui. Il était convenu que ma mère passerait la nuit à ses côtés aussi aurais-je pu m'épargner ces cent cinquante kilomètres un vendredi soir. Nous étions tous les trois épuisés par nos nuits de veille à tour de rôle auprès de papa, mais c'est comme s'il était évident que je devais aller le voir ce soir-là, et j'ai pris la route sans réfléchir.

Je l'ai trouvé seul dans sa chambre. Nous avons un peu discuté. Il n'a pas mangé, il était parfois un peu confus, voulant ouvrir son verre comme s'il y avait un couvercle invisible dessus, me demandant de mettre de l'eau dans la salade de chou rouge pour l'assaisonner. Il se rendait compte que c'était absurde mais globalement ça allait. Nous avons un peu parlé littérature, et je lui ai demandé quels étaient pour lui le ou les livres les plus importants à ses yeux. Je connaissais la réponse. Il m'en a cité trois, « deux inaccessibles tant leurs textes sont inégalables », me dit-il, *Guerre et Paix* et *La Chartreuse de Parme*, et le troisième… *Le Désert des Tartares.*

Vers 20 heures, après lui avoir rappelé que je serais à nouveau là le lendemain et que je passerais la prochaine nuit avec lui, je lui ai dit au revoir et suis parti dans le couloir. Mais après quelques mètres, j'ai hésité, comme si une force me commandait de rester encore. Ma mère n'allait plus tarder à arriver, je n'avais aucune raison d'être inquiet, pourtant je suis revenu sur mes pas. Je garde le souvenir très fort de cette hésitation, de cette puissance qui m'a fait revenir dans la chambre. J'ai ouvert la porte, il était assis au bord de son lit, tel que je venais de le laisser. La main sur la poignée, les yeux dans les yeux, je lui ai demandé s'il était sûr que je pouvais y aller. Il a répondu : « Oui. » Et ce fut notre dernier échange. « Oui, ça va, vas-y. » Il avait le regard tourné vers moi et m'observait avec émotion, puis il s'est retourné vers la fenêtre, contemplant le ciel qui commençait à rosir, la flèche du clocher de l'église de Nemours, et l'obscurité qui s'installait lentement. Alors je suis ressorti et me suis engagé à nouveau dans ce long couloir en marchant très lentement. Comme si ce couloir d'hôpital était immense et sans fin. Je me sentais aimanté, devant lutter contre un lien invisible qui me maintenait à mon père. Je n'arrivais pas à partir.

Cette image de papa regardant par la fenêtre dans le jour qui s'achève est la dernière vision que j'ai de lui conscient. Déjà un peu errant, confus, entre deux mondes.

Nous nous étions dit au revoir, mais je devine qu'il voulait sans doute me dire tant d'autres choses.

Il n'avait sans doute pas les mots. Et puis que dire ?

Je suis heureux de ce dernier regard échangé. Il était beau et fragile à la fois. Intense et fugace en même temps.

Rien ne m'obligeait à aller à l'hôpital ce vendredi soir et pourtant je l'ai fait. Consciemment, l'avenir était indéfini, mais une partie de moi *savait*. C'est pour cela que j'ai pris ma voiture, c'est pour cela que je suis revenu sur mes pas dans ce couloir.

Le lendemain matin on lui a fait une ultime ponction d'ascite. Il était encore conscient quand maman l'a laissé, mais il a perdu connaissance peu après. Au même instant je me trouvais chez moi à Paris et je me souviens m'être senti lourd, comme aspiré vers le sol, redoutant la nuit à venir. Je suis reparti vers l'hôpital en fin d'après-midi. Il était inconscient. Je ne réaliserais que plus tard la chance que j'avais eue d'écouter cette petite voix intérieure qui m'avait permis de dire au revoir à mon père.

Le 25 août 2001, Florence est en Corse, à Porto-Vecchio, où la famille passe régulièrement ses vacances. De la plongée sous-marine est au programme. La dernière de l'été, sur un spot en profondeur réputé pour ses mérous de bonne taille. À cette époque, Florence pratique beaucoup ce sport exigeant et possède un bon niveau technique.

Le dîner de la veille était léger et Florence a passé une très bonne nuit. À bord du bateau qui rejoint le site de plongée, elle s'équipe. Le temps est magnifique. Ils sont quatre à plonger : son ex-mari, deux amis et Florence.

Arrivés sur le site, les quatre équipiers se mettent à l'eau et disparaissent sous la surface. Le fond reste invisible pour l'instant, trop loin. Florence s'aide de la chaîne de l'ancre pour progresser. À quatre mètres sous la surface, par sécurité, tout le monde s'arrête et chacun vérifie le bon fonctionnement du matériel. Détendeurs, blocs, arrivée d'air, tout est inspecté. Tout va bien. La descente commence dans une eau cristalline. Au fur et à mesure de la progression, la luminosité décroît, tout devient uniformément bleu et la température de l'eau baisse tandis que la pression augmente. Les quatre amis commencent à distinguer la masse sombre du fond et bientôt ils s'y posent avec délicatesse. Ils se trouvent à cet instant à quarante et un mètres sous la surface. À cette profondeur, on ne plaisante plus.

Florence atterrit sur le sol, soulevant un nuage de sédiments avec ses palmes. Des myriades de petits poissons se précipitent pour avaler les microorganismes dispersés par les plongeurs. Le spectacle est magnifique. Nouvelle vérification de sécurité. Les plongeurs se regardent et se font signe que tout va bien. Une torche est allumée et fait éclater les couleurs à une profondeur où la masse d'eau filtre les rayons du soleil et ne laisse plus passer que le gris-bleu.

Les plongeurs se mettent en mouvement, Florence est en queue de palanquée, son ex-mari devant elle. Le premier plongeur se retourne vers ses camarades et leur fait signe qu'il vient d'apercevoir un gros poisson. Tous se dirigent à sa suite et s'engagent entre deux énormes rochers. Le premier plongeur passe, le deuxième et le troisième suivent, puis vient le tour de Florence. En s'élançant elle inspire une nouvelle goulée d'air mais là, stupeur, c'est de l'eau salée qui pénètre dans son détendeur.

Elle a instantanément le réflexe d'attraper un caillou au sol et d'en frapper sa bouteille métallique pour attirer l'attention du plongeur devant elle. Son ex-mari se retourne, Florence lui fait signe qu'elle n'a plus d'air en plaçant sa main à l'horizontale sur la gorge. Il la rejoint instantanément et se pose devant elle. À nouveau elle tente d'inspirer, mais seule de l'eau arrive. Sans hésiter, son ex-mari lui tend son propre embout tandis que lui saisit celui de Florence.

Et là, gros problème : après avoir actionné la valve pour expulser l'eau qui s'y trouve et l'avoir mise en bouche, Florence aspire… de l'eau.

Qu'est-ce qui se passe ? Son ex-mari vient pourtant de respirer normalement avec l'embout de Florence. La panique commence à monter. Florence écarquille les yeux sans comprendre et sans savoir quoi faire. Elle refait signe à son ex-mari qu'elle n'a toujours pas d'air. Par réflexe elle relève la tête mais la surface est trop loin. Au-dessus d'elle, elle ne distingue qu'une infinie masse d'eau. Elle sait qu'elle n'aura pas le temps de remonter. Il faut qu'elle parvienne à respirer là où elle se trouve sinon elle est perdue.

Tout va très vite.

Son ex-mari lui donne son deuxième détendeur de sécurité. Il a été vérifié lui aussi avant la plongée. Il fonctionne. Alors que ses poumons réclament de l'air et que le besoin de respirer devient de plus en plus insoutenable, Florence purge le détendeur, le place sur sa bouche et respire… de l'eau.

À cet instant elle se dit qu'elle va mourir. Elle sait qu'elle n'a plus le temps de remonter. Elle regarde son ex-mari d'un air affolé, puis la surface invisible, revient sur le visage qui lui fait face, tout s'entrechoque, tout s'emballe dans sa tête, la panique se déclenche, à toute vitesse. Dans un réflexe incontrôlable de survie elle inspire… et tout s'arrête.

Elle est morte.

Mais elle voit.

Elle se trouve soudain sur le côté.

Elle observe la scène : elle est face à son ex-mari qui la

tient par les sangles de son gilet. Les deux autres plongeurs sont là, spectateurs impuissants du drame qui se joue.

Et elle regarde tout ça à distance.

Elle se trouve sur la droite des quatre plongeurs, elle contemple sans comprendre, à la fois très détachée mais profondément troublée : « Mais je ne suis pas morte ? » C'est un mauvais film, un rêve... Dans le même instant arrive une sorte de brume sur le côté droit. Florence parle de quelque chose d'immense, d'extrêmement lumineux et de doux. Elle s'engouffre dedans, sans même se poser de questions.

Elle se retrouve dans une atmosphère délicieuse, elle est bien, si bien. Elle sent deux bras qui la soulèvent, elle n'a pas le vertige, sa tête ne tourne plus, Florence est parfaitement calme, confiante et très sereine. Elle se sent baignée d'amour. Elle émerge dans une salle gigantesque et très lumineuse, comme faite de lumière. Il y a un banc à cet endroit. Quelques instants Florence se demande où elle est, et soudain elle découvre son guide, pour la deuxième fois de sa vie.

C'est lui qui la soulevait, il l'a lâchée et se place devant elle. Florence se trouve face au banc sur lequel viennent subitement d'apparaître trois êtres à l'apparence de moines encapuchonnés. Lorsque celui du milieu relève la tête, Florence aperçoit ses yeux d'un bleu extraordinaire. Et l'être lui demande : « Que fait-on de toi maintenant ? » Sans même réfléchir, Florence répond : « Je reste. »

À cet instant, plus rien n'a d'importance. Elle est mère de trois filles mais n'hésite pas une seconde : « Je reste ici. »

Les êtres lui annoncent toutefois que ce ne sera pas le cas. Ils lui montrent une sorte de panorama, un champ de vision où comme dans un film apparaissent des scènes de sa vie. Son enfance, ses mariages, la naissance de ses filles, ses frères, etc. Tout va très vite, se tisse, s'emmêle dans cette sorte d'énorme bulle où se projettent toutes ces images la concernant. Lorsque Florence regarde les êtres à nouveau, celui du milieu lui dit : « Maintenant nous allons te montrer ce pour quoi tu es venue. »

Mais de cela, Florence ne garde aucun souvenir.

Trou noir.

Elle se retrouve soudain dans son corps que remontent les trois plongeurs. Elle reprend connaissance alors qu'ils se trouvent à quinze mètres de profondeur. Son ex-mari contrôle la vitesse de progression vers la surface, malgré l'urgence, car il serait suicidaire d'ajouter un accident de décompression à ce qui vient de se produire au fond. Florence entend d'abord le bruit de bulles, puis réalise qu'elle respire à nouveau de l'air. On lui a maintenu l'embout en bouche et il fonctionne maintenant. Reprenant pleinement ses esprits et réalisant qu'elle est encore sous l'eau, Florence ne veut pas y rester une seconde de plus et dans un réflexe incontrôlé, elle attrape son détendeur et gonfle précipitamment son gilet stabilisateur que les autres plongeurs avaient pris soin de dégonfler au fond. L'effet est immédiat, elle remonte brusquement comme un ballon plein d'air et passe de moins quinze mètres à la surface en deux secondes.

Tympans explosés, le côté droit du visage paralysé, Florence vomit sans pouvoir s'arrêter. La situation est critique. Les secours arrivent très rapidement et Florence est évacuée en hélicoptère puis placée en caisson de décompression à l'hôpital d'Ajaccio.

Sa perte de connaissance au fond lui a permis de ne pas avaler d'eau de mer et de ne pas se noyer. Elle est restée inconsciente plusieurs minutes, le temps qu'a duré la lente et prudente remontée. Et pendant ce temps hors du temps, Florence a fait une brève incursion dans la mort en vivant ce que l'on appelle une « expérience de mort imminente ».

Quand elle sort du caisson, son mari la regarde et lui dit : « Je ne te reconnais pas, tu n'as plus les mêmes yeux, tu n'es plus ma Florence, tu n'es pas la même. » Elle lui répond : « Effectivement, qu'est-ce qu'on fait ensemble ? »

Un *réveil*, c'est le mot, à l'hôpital.

Florence vient de fêter ses quarante ans, deux semaines plus tôt.

La coïncidence la plus étonnante est que ce jour-là, sur un bateau amarré non loin de la plage de Porto-Vecchio, un vacancier a observé toute la scène à distance : l'intervention du SAMU, l'hélico qui décollait. Sans qu'ils se connaissent à ce moment-là, cet homme va devenir un ami de Florence quelques années plus tard. Il s'agit du Dr Jean-Jacques Charbonier, le médecin de Toulouse spécialiste… des expériences de mort imminente.

Comme cela se produit souvent, même les prises de conscience fracassantes comme celle que vient de vivre Florence ne sont pas nécessairement suivies tout de suite de changements de vie radicaux. Il va falloir trois ans à Florence pour prendre la décision de partir. Mais dès lors, en quelques mois elle rencontre plusieurs médiums qui lui confirment que c'est le moment et qu'elle en est capable, alors elle se lance. Elle quitte son mari, son train de vie, déménage avec ses filles dans une HLM et devient médium.

Comme Henry Vignaud, ce sont les séances de médiumnité publiques qui lui mettent le pied à l'étrier. Dans son cas, les choses vont être très rapides.

Je suis toujours surpris quand des médiums évoquent ces séances en public. Je m'imagine que se retrouver pour la première fois devant une foule nombreuse et en souffrance doit être formidablement déstabilisant et pourtant, même si avant de commencer le trac peut être très fort et effectivement handicapant, une fois sur scène, Florence (comme les autres) me dit être dans un autre monde. Elle ne voit plus la salle ni les gens, et elle est littéralement guidée.

Assise devant une table sur laquelle ont été disposées par les familles et les proches présents dans la salle les photos de leurs défunts, Florence a la sensation de se retrouver dans un brouillard, une sorte de brume. *Quelque chose* qui l'englobe. Là, elle saisit une photo machinalement et ses perceptions s'ouvrent. Elle entend des voix, des personnes qui lui parlent, lui décrivent des éléments de vie, des circonstances de décès, des prénoms ou parfois juste la première lettre, des dates, etc. Dans cet état, qu'elle soit devant une personne ou cinq cents ne change rien. Elle est branchée sur une autre réalité. Elle n'est plus complètement elle-même. Elle se trouve devant ce qui ressemble à ce grand écran sur lequel elle a vu des épisodes de sa vie lors de son expérience de mort imminente. Comme si tout autour de sa tête les images, les sons, les sensations défilaient dans un grand ballet ordonné. Ça bouge, ça passe et ça s'en va. C'est une espèce d'espace interactif où elle voit l'énergie des défunts qui se présentent et lui montrent de nombreux petits détails. Et puis à un moment ça commence à s'évaporer et là Florence a conscience que son propre esprit prend le dessus, signe qu'il faut arrêter.

Pour parvenir à cet état, Florence ne médite pas vraiment, elle *demande une autorisation* en se mettant en connexion avec son guide. C'est d'ailleurs ce guide qui lui a enseigné les petites formules de quelques lignes qu'il lui faut réciter dans ces circonstances pour ouvrir le canal. Elle les connaît par cœur aujourd'hui, elles sont devenues un automatisme.

Florence parle de trois formes de médiumnité. Ce qu'elle pratique se nomme la « médiumnité semi-consciente », mais il existe aussi la « médiumnité consciente » qui s'apparente à de la voyance pure et la « médiumnité mécanique » qui correspondrait à de l'*incorporation*. Dans ce dernier cas, le médium ne se souvient plus de rien à l'issue de la séance. Son visage peut se transformer pendant la transe sous l'effet de la *pénétration* dans son corps de l'âme du défunt. Ce type de médiumnité est paraît-il dangereuse et très peu de médiums la pratiquent dans le monde. Dans la médiumnité semi-consciente, qui est la sienne, elle est en mesure à la fois de parler à la personne venue la consulter et de communiquer avec le défunt. Elle ne voit que lui à ce moment. La troisième forme de médiumnité c'est donc de la voyance, avec des flashs, des intuitions statiques qui se différencient très nettement du contact avec un défunt, au dire de tous les médiums que j'ai pu interroger à ce sujet.

En privé, comme aujourd'hui pour ce test, c'est un peu pareil qu'en public, Florence prend la photo du défunt dans ses mains, demande l'autorisation, puis repose la photo en la retournant. À partir du moment où la connexion s'amorce, elle n'en a presque plus besoin. Alors, soit l'énergie de l'âme de la personne sur la photo se présente, soit quelqu'un d'autre arrive, mais dans tous les cas Florence sait que son guide filtre. Il la protège, elle mais aussi son client, contre de possibles interventions parasites.

Ses sensations sont identiques à ce qu'elle ressent en public. Elle se sent *englobée*, comme à l'abri d'une espèce de grande cape. Elle est bien, c'est chaud, et elle reçoit les infos. Lorsqu'elle est complètement réceptive, elle ne voit pratiquement plus la personne qui la consulte. Mais pour peu que cette dernière lui parle, cela a pour effet de la ramener *en terre*. Et pour se reconnecter ensuite, c'est plus difficile. En général, elle aime mieux qu'on la laisse parler dans ce premier temps de la consultation, et demande aux personnes de noter leurs éventuelles questions pour un second temps.

Comment Florence a-t-elle appris à faire confiance à ses ressentis ? Elle me dit éprouver « dans ses tripes » ce qu'elle capte. Elle sait quand elle est ancrée, en équilibre, et elle discerne intérieurement que ce qu'elle perçoit est réel. Lorsque cette sensation de centrage s'étiole, elle préfère arrêter la séance. De la même manière, elle a appris à faire la différence entre ses perceptions et son imaginaire en observant ce qu'elle appelle la « lourdeur de l'imagination ». En comparaison, ses perceptions la transportent dans un état où tout est fluide. Les informations, les prénoms, les dates jaillissent devant elle avec tellement de limpidité. Elle donne à haute voix et avec légèreté ce qui passe sur l'écran de son esprit. Ça coule tout seul. À l'inverse, son imagination lui demande des efforts ; ça coince, ça hésite, bref, ce n'est vraiment pas la même chose.

Lors d'une séance publique récente, un petit garçon défunt passe et dit : « Noah » à Florence. En demandant à la salle si Noah évoque quelque chose à une personne, deux infirmières en pédiatrie lèvent la main et disent qu'elles viennent d'accompagner un petit Noam, décédé dans leur hôpital d'une tumeur au cerveau. Le garçon ajoute qu'il est venu dire à une petite fille avec un A dans son prénom qu'il l'attend. Les deux infirmières révèlent devant la salle médusée que dans leur service, une petite Ambre est en train de mourir. Florence a perçu ce garçon et ce qu'il a dit avec une telle limpidité, c'est venu tout seul. Cette spontanéité, le côté complètement inattendu des messages qui surgissent, nous l'avons vu, est souvent une indication pour les médiums qu'ils sont dans une perception authentique.

Je reviens sur cette remarque de Florence me disant que son guide filtre ce qui lui parvient de l'au-delà. Je suis impressionné par cette relation si forte et si présente du guide dans sa vie. Qui sont les guides ? D'où viennent-ils ? Comment se connecter à eux si nous en avons tous ? En ce qui la concerne, Florence a découvert qu'elle avait connu le sien dans une vie antérieure. Pour d'autres personnes, il peut s'agir d'êtres qui ne se sont jamais incarnés, qui s'apparenteraient donc plus à des énergies non matérielles. Mais je retiens ce point important de ma rencontre avec Florence : nous ne sommes pas seuls, nous ne sommes jamais seuls. Nous avons toutes et tous un guide qui nous accompagne depuis l'enfance et nous attendra après la mort.

Pour la plupart d'entre nous, il se manifeste timidement par cette petite voix intérieure que l'on appelle l'« intuition ». Connaître le nom de son guide, comme Florence, n'est absolument pas indispensable pour se connecter à lui. Florence me dit qu'il faut déjà savoir s'écouter.

Alors que je lui demande comment, elle me conseille cet exercice simple lorsque l'on a une décision à prendre par exemple. Le soir au moment de se coucher, même si l'on ignore qui est notre guide, on peut lui demander de répondre à notre question durant la nuit. Le lendemain matin la réponse est là, accessible à notre ressenti intérieur. Mais tout de suite le mental se met en marche et prend le contrôle. Aussi faut-il faire attention à cette sensation subtile et fragile, alors que l'on est encore au lit, que l'on a encore les yeux fermés et que l'on reprend conscience. Cet instant juste avant que les rêves ne se dissipent et disparaissent de notre mémoire. Là, à cet instant, la réponse nous est soufflée.

Ensuite, on ne peut plus s'empêcher de reprendre le contrôle. C'est notre mental, notre libre-arbitre, mais l'intuition, la voix de ce guide, il faut la surprendre avant, dans cet interstice fragile entre le sommeil et l'éveil.

Les portes du monde invisible sont plus nombreuses qu'on ne l'imagine.

Au cours de l'écriture de ce livre, quelque chose a émergé en moi. La certitude que même si je ne parvenais pas à l'entendre moi-même, mon père pouvait me parler. Depuis quelque temps déjà je sens qu'il n'est pas impossible que je parvienne un jour à percevoir ces signes du monde invisible. Ça a même déjà commencé en fait…

S'il fallait une ultime confirmation que tout ce que je vis depuis des mois avec ces médiums est bel et bien réel, Florence va me l'apporter. Le test, elle va le passer en effet haut la main. Mais pas avant d'avoir soulevé elle aussi quelques points mystérieux.

– Sa mère est venue le chercher. Une femme avec de beaux yeux… Il n'y a pas de bébé parti chez toi ?

– Parti ? Non.

– C'est quoi ce petit bout ? Il y a un tout petit bonhomme… il n'a pas de frère qui est parti, lui ?

– Dis-moi ce qui vient…

– J'ai un tout petit bout de chou. Un an, un an et demi.

Il le tient par la main comme s'il faisait partie de lui, de la famille. Alors est-ce qu'il y a un bébé, un petit enfant qui est parti ? Est-ce un frère à lui ? « Accident », j'entends : « Accident. » Est-ce que ce petit s'est noyé ? Je pense que c'est un petit garçon…

– Qui serait cet enfant par rapport à lui ?

– Quelqu'un de la famille. Un oncle ou un frère, mais tout petit…

Florence voit mon père tenir un enfant comme si c'était un petit frère, mort dans un accident ou par noyade. Voilà une troisième mention de ce frère bien énigmatique, après Pierre et Christelle. C'est tout de même profondément troublant. Je n'obtiendrai toutefois pas plus d'informations à son sujet, aussi je décide de conduire lentement Florence vers l'objectif qui nous intéresse.

– J'aimerais lui demander des choses. Qu'il essaie de me donner des éléments sur ses derniers jours de vie et ce qui s'est passé ensuite…

– Il me dessine un grand C, un prénom avec un grand C qui a pu faire des choses pour lui au moment du départ, et il dit : « Il faut que tu y ailles. »

Ma mère s'appelle Claude, mais je ne le dis pas à Florence.

– Quand il est parti, t'a-t-on appelé ? Parce que j'entends : « Il faut qu'il vienne »… Il est mort quand tu étais là, ou tu as été appelé juste parce qu'il venait de partir ?

– Non, j'étais là.

– Tu étais là… pourquoi : « Il faut qu'il vienne » ?

– J'étais déjà là.

– Mais on t'appelle pour y aller ?

– Non.

– Comment ça se passe ? Parce que j'entends : « Il faut qu'il vienne. » Moi je te dis ce que j'entends, alors ce n'est peut-être pas ce jour-là. « Il faut qu'il vienne, il faut qu'il soit là. » Pourquoi me dit-il ça ? Je n'en sais rien.

C'est étonnant que malgré mes dénégations, Florence insiste. En général, cela signifie que le défunt insiste lui-même. Comme mon père savait que j'étais présent, pourrait-il s'agir de mon frère et de ma mère ? Faut-il comprendre : « Il faut qu'ils viennent » au pluriel ? Alors que j'étais seul avec lui et que sa respiration avait sensiblement décliné, j'ai appelé ma mère et prévenu Simon. Craignait-il de partir sans qu'ils soient là ?

– Il tremble, il a eu peur mais il lâche. Après, ça va très vite, c'est comme un soulagement. Et toi tu lui dis, après qu'il est parti : « Donne-moi des nouvelles, fais-moi un signe. » Il a entendu quelque chose comme ça venant de toi… Il était bien fatigué intérieurement. Il avait mal, et j'ai toujours ce truc qui tourne, comme s'il perdait l'équilibre sur la fin de sa vie.

– Il avait des faiblesses dans les jambes, et effectivement il perdait un peu la tête.

– Il devait être gentil, j'ai une gentille énergie mais mal comprise et qui n'a pas su s'exprimer. Même avec moi, il s'explique mais j'ai du mal à traduire parce qu'il est un peu malhabile dans sa façon de parler.

Tout cela est très juste, mais je suis fixé sur la remarque de Florence selon laquelle mon père mentionne le fait que je lui ai demandé de me donner des nouvelles. Est-ce le test qu'il évoque ? Je vais passer à la vitesse supérieure et directement poser la question à Florence. On approche, je le sens.

– J'ai mis des choses dans son cercueil dont je lui demande de me donner les éléments par médium interposé, voilà le challenge.

– Comment mettre la pression !...

– Mais non...

– Depuis ce matin il est là. Il s'habitue à la vie après la vie parce qu'il ne croyait pas à grand-chose. Il était un peu borné sur ce qu'on fait là, mais il me dit : « Au fur et à mesure de mon avancée, je comprends les choses, tu m'aides »... J'ai comme un crayon, tu as mis un crayon ? J'ai une forme allongée dans son cercueil, c'est quoi ? Un crayon ?

– Dis-moi juste ce qu'il te dit.

– On dirait un crayon ou un pinceau, je ne sais pas si c'est ça.

Je ne réponds pas, mais je reconnais Florence. Malgré l'appréhension, elle a cette clarté d'esprit qui lui permet d'obtenir des détails très justes et très précis de la part des défunts. Et là c'est incontestable : un long pinceau, c'est exactement un des quatre objets que j'ai mis dans le cercueil. Pas un gros, pas un carré ou un épais, non, un long et fin pinceau. Je suis tellement bouleversé. Mais je ne veux rien laisser transparaître devant Florence et ne réagis pas à ce qu'elle vient de dire. Elle poursuit.

– Voilà... et puis j'ai un papier, un petit mot : « À mon père », « Pour mon père », ou : « À mon papa », il a avec lui un truc comme ça...

Rappelez-vous qu'avec les quatre objets, j'ai mis ce mot dans une enveloppe sur lequel je lui dis que je l'aime...

– Il dit qu'il a laissé tomber ses vieux démons, tu comprends ? Il peut pleurer parce qu'il est sensible puis il rit comme un fou. Il a souffert en partant, il a eu peur... il peignait ton père ?

– Oui.

– Il peignait des paysages de mer ?

– Non.

– J'entends les nombres 15... 6, 16, il est décédé quel jour ?

– Le 16.

– Ah oui... voilà... c'est comme s'il poussait quelque chose doucement devant moi. J'essaye de voir, c'est peut-être un couteau, c'est bizarre... ce n'est pas un pinceau, le pinceau je l'ai vu tout à l'heure, non, là c'est plus petit, il avait un couteau bien à lui ?

– Oui.

Il en avait même plusieurs, constamment à portée de main. Mais je m'abstiens de dire que cet objet n'a pas été placé dans le cercueil.

– Voilà... Paul, c'est qui ?

– Je ne sais pas.

– Jean-Paul ou Paul ?

– Par rapport à quoi ?

– Un ami qu'il a retrouvé...

Je ne comprends pas pourquoi à cet instant je réponds que je ne sais pas. Paul, l'oncle de mon père, mort, enfin *disparu* pendant la première guerre mondiale, s'est déjà manifesté avec deux médiums. Le voilà qui apparaît à nouveau mais sans doute suis-je tellement focalisé sur le test et sur le fait que Florence vient de le réussir que je passe à côté de Paul. Elle sent juste qu'il est proche de mon père. Elle évoque un ami, mais son contact doit être très subtil et, sans réaction de ma part, Florence poursuit en revenant à mon père.

– Il mettait un foulard ?

– Il aimait bien, oui.

– Je le vois qui ajuste un foulard pour ne pas avoir mal à la gorge...

Dans le cercueil, ma mère a tenu à ce que nous lui mettions un foulard autour du cou. Rasséréné par le succès de Florence, je vais poursuivre la séance en espérant que mon père lui parlera des autres objets tout en la questionnant sur lui.

– Est-ce qu'il sait qu'il est mort ? A-t-il eu parfois des périodes de doute ?

– Non, il sait qu'il est mort… par contre il évolue encore. Il revoit des gens…

– Mais par rapport à ma question, es-tu connectée avec lui en ce moment ? Est-il présent ?

– Oui.

– Si tu lui poses une question, peux-tu obtenir une réponse ?

– Je ne sais pas, ça dépend, vas-y, pose.

– Si tu l'as en face de toi, pourquoi ne lui demandes-tu pas : « Jean-Pierre, dites-moi les choses que Stéphane a mises dans le cercueil » ?

– Ça va être un grand bide parce que je n'ai pas grand-chose. Tu as mis un tableau ? Un dessin ? Il me présente un dessin, comme s'il peignait justement. Comme s'il prenait ce fameux pinceau et qu'il se mettait à peindre… c'est bizarre ce que je vois là… il prend un tableau, puis il peint dessus… tu lui as mis des trucs de peinture, c'est pas possible, c'est ça que tu as mis ?

Je ne réponds rien mais observe que pour Florence, la présence du pinceau est maintenant certaine. C'est fort.

– Des tubes de peinture ? Oui, c'est ça ! Parce qu'en fait il repeint grâce à toi… il repeint…, poursuit-elle.

– Ce sont des images qu'il t'envoie ?

– Oui, c'est lui qui m'envoie l'image de lui en train de peindre. J'en déduis que s'il me montre cette image, c'est qu'il y a des choses dans le cercueil qui le lui permettent. Donc le pinceau et le tube de peinture. Après, lui a dû trouver une toile de l'autre côté…

C'est quand même incroyable. Je suis estomaqué que ça vienne presque *si facilement*. Le pinceau, le tube de peinture…

– Donc il ne t'a pas dit un mot spécifique ?

– Non.

– Il t'envoie seulement des images ?

– Oui.

– Vois-tu d'autres images ?

– Après… je vois… C'est dur ce que tu me demandes. C'est comme si moi j'étais lui, tu vois ?

– Oui.

– Je suis à sa place, je le vois peindre. J'ai aussi comme un muret un peu en surplomb d'une vallée. J'ai des arbres, je ne sais même pas où je suis. Je vois ce paysage à travers ses yeux, comme si j'étais à sa place. Je ne sais pas si c'est un endroit qu'il aime bien. Est-ce qu'il a vécu à la campagne dans un endroit similaire ? Un petit muret, un renfoncement, et des arbres en face. C'est joli, calme. Il me met devant.

– Eh bien ta description ressemble beaucoup à l'endroit qu'il affectionnait particulièrement là où il habitait, à la campagne. Une terrasse un peu en surplomb, avec un petit muret qui descend.

Une des dernières photos que j'aie prises de mon père, quelques semaines avant sa mort le montre assis à cet endroit. Son regard porte sur la cime des arbres qui s'étendent jusqu'à l'horizon. Il est dans son fauteuil d'osier, au bout de cette terrasse de gravier, une terrasse terminée par un petit surplomb que nous avions maçonné tous les deux, plus de trente ans auparavant. Cette image, c'est tellement lui. C'est à cet endroit qu'il voulait s'éteindre…

– Il m'a juste transportée là, sans dire un mot, me dit Florence.

– J'aimerais que tu me décrives avec le maximum de précision les perceptions que tu as.

– « Je suis à nouveau moi-même, dans mon endroit. Je vois l'infini de là où je suis, et je vous vois aussi, jamais je n'aurais pu penser ça avant, me dit-il. Je ne suis pas impatient, mais je sais que je te reverrai et je parlerai avec toi. » Tu l'as vu en rêve ?

– Ça m'arrive, oui. Et justement, dans trois ou quatre rêves marquants avec lui, il m'apparaissait un peu silencieux et perdu.

– Il reprend racine. Quand je te dis qu'il est en pleine évolution, il ne faut peut-être pas lui poser trop de questions, il vaut mieux le laisser dire ce qu'il veut. Un an et demi c'est peu. Il est en pleine ascension, il est en train de comprendre sa mort. Il est sur la route. C'est un gentil monsieur, c'est une belle âme… Il est bien où il est, il est mieux. Plus de souffrance interne. Je l'ai senti comme quelqu'un de torturé durant sa période terrestre, pas à l'aise, ne s'exprimant pas comme il voulait le faire, ayant des problèmes relationnels avec son entourage… Là où il se trouve maintenant, je le sens calme, entouré de gens, il y a du monde avec lui, il n'est pas tout seul.

Non, il n'est pas seul. Et nous non plus nous ne le sommes pas. Nous ne le sommes jamais.

Conclusion

Je l'ai dit, écrire ce livre a changé ma vie. J'avais une vision peut-être assez naïve de la communication avec les morts, bien des interrogations, et beaucoup d'idées préconçues. Faire ce livre, réaliser ces tests et passer ces nombreuses heures en discussion soutenue avec ces hommes et ces femmes médiums m'ont permis d'entrer dans leur vie, dans l'intimité de leurs perceptions, et de mieux comprendre mais aussi de sentir en moi que l'accès au monde invisible est rationnellement possible.

Au-delà du résultat positif et incontestable des tests, la similitude des informations sur la vie, la mort, le caractère de mon père, l'évocation de membres défunts de notre famille, de si nombreux éléments identiques donnés systématiquement par chaque médium constituent dans leur ensemble la preuve que mon père n'a cessé d'être présent lors des séances. Chacun des six médiums m'a décrit la même personne, parce que cette personne est vivante. Les six médiums sont entrés en communication avec mon père.

Mon père, comme tous les êtres que nous avons aimés et qui nous ont quittés, est encore vivant *ailleurs*. La réalité est plus vaste qu'on est en mesure de l'imaginer. La mort n'existe pas, les liens d'amour perdurent et restent effectifs.

Nous sommes liés à jamais.

Je ne sais pas vous mais moi, ça me remplit d'énergie.

Mort, processus de deuil et médiumnité

Entretien pratique avec le Dr Christophe Fauré

Le docteur Christophe Fauré est psychiatre, spécialisé dans l'accompagnement des personnes en fin de vie et de leurs proches. Aujourd'hui que la mort est devenue taboue, on ne porte plus le deuil après la perte d'un proche. On le vit en silence, s'imaginant toujours être assez fort pour s'en sortir tout seul. Le plus souvent, on est simplement ignorant des mécanismes psychologiques qui sont à l'œuvre en nous lors de telles expériences.

Perdre un proche, c'est un traumatisme, une blessure dont les répercussions se font sentir tout au long de la vie. Le reconnaître n'est pas forcément évident. Comment gérer le manque au quotidien ? Comment sortir des représentations pathologiques du deuil ? Comment rompre cette dépendance du lien – aller sur la tombe tous les jours, consulter sans arrêt un médium, etc. – qui peut aussi bloquer le processus de deuil ? La croyance en une survie de l'âme est-elle d'une aide importante lors d'un deuil ? Consulter ou ne pas consulter de médium ? Voilà les questions que nous aborderons avec ce psychiatre reconnu.

Car au-delà du caractère extraordinaire de ce que je viens de vivre avec ces six médiums, et même si sans conteste aujourd'hui je sens dans chacune de mes cellules que la mort n'est pas la fin de la vie, elle n'en demeure pas moins une séparation brutale. Un moment d'une intensité sans pareille qui impose de laisser émerger une nouvelle relation avec la personne disparue. Les morts ne sont pas morts, mais ils ne sont plus présents non plus. L'adhésion à l'idée de la survie de la conscience n'exonère pas de la peine et de la souffrance causées par l'absence. Un médium remplace-t-il le processus de deuil ? Peut-il l'aider ? Le compliquer ? J'ai ajouté à l'entretien que nous avons réalisé dans le cadre de ce livre des extraits d'une discussion antérieure que nous avions eue tous les deux, et qui avait été publiée dans le magazine *Inexploré*[1].

*

Qu'est-ce qui vous a poussé à vous spécialiser dans l'accompagnement de fin de vie ?

Dans les années 80, j'étais étudiant à la faculté de Necker, et je faisais mes stages d'externe dans différents hôpitaux périphériques dont l'institut Pasteur qui comprenait à l'époque une partie hospitalière, avec un service de maladies infectieuses. Il se trouve que c'était le début de l'épidémie du sida. Il n'y avait pas encore l'AZT, ni aucun traitement, et les gens atteints mouraient quasiment tous. Beaucoup étaient jeunes. J'ai pris cela de plein fouet. C'était une expérience directe, immédiate. Pendant dix ans, j'ai participé bénévolement à l'association AIDES, et en parallèle j'ai passé mon internat en psychiatrie. Mais mon

1. *Inexploré*, n° 14, printemps 2012.

intérêt allait déjà à l'interaction entre psychologique, maladie grave et fin de vie. Je sentais aussi que j'étais très touché par tous ces morts, que j'avais besoin de plus d'assise. Je suis donc allé à l'unité de soins palliatifs de Paul-Brousse, à Villejuif, trouver Michèle Salamagne qui est l'une des pionnières des soins palliatifs en France. Elle m'a accueilli chaleureusement, et m'a beaucoup encouragé. Petit à petit, je suis devenu l'un des soignants de l'équipe. Par la suite, nous avons monté le premier groupe de parole pour personnes en deuil.

Comment définiriez-vous l'approche psychiatrique de la fin de vie, telle que vous l'avez développée ?

On essaie d'abord d'isoler des manifestations psychiatriques liées à l'état physique de la personne. On examine, en fonction des pathologies et des traitements donnés, si ce qui s'exprime au niveau psychique est en lien avec une vie psychique ou relève du médical.

Deuxième axe de notre approche : des personnes qui n'avaient absolument aucun antécédent psychiatrique vont développer des attaques de panique, des syndromes confusionnels à cause de l'énormité de ce qui se passe en elles – la confrontation avec leur propre finitude, la perte de contrôle sur les choses de leur vie. Les gens décrochent psychiquement et entrent dans ce qu'on appelle la « confusion mentale ». Ils perdent complètement tous leurs repères, ne reconnaissent plus leurs proches, ne savent plus distinguer le jour et la nuit. C'est extrêmement anxiogène, tant pour eux que pour leurs proches. Elisabeth Kübler-Ross a bien décrit ce mouvement dépressif de la vie. Mais certaines dépressions majeures paralysent totalement la capacité à être en relation avec ses proches. On n'est plus dans un vécu dépressif normal de la fin de vie, mais dans une dépression clinique. On essaie alors, avec des moyens médicaux et des moyens psychologiques, d'aider la personne.

Avez-vous parfois l'impression que la personne mourante alterne les moments de présence et d'absence ?

J'adhère complètement au concept des soins palliatifs selon lequel la personne est présente jusqu'à son dernier souffle – même si elle respire à peine, même s'il ne lui reste plus que quelques minutes à vivre, même si elle est dans un coma qui dure depuis des jours. Les soignants en soins palliatifs, même lorsqu'ils entrent dans la chambre de quelqu'un qui est dans le coma, avec qui a priori il n'y aurait donc plus de relation, disent bonjour. Et on prend le bras seulement après l'avoir annoncé au patient, respectant ce principe : « Dis toujours ce que tu fais d'abord, et fais-le ensuite » – pour que la personne n'ait pas peur. C'est Fabienne Chudacet, médecin à Jeanne-Garnier (Paris), qui me l'a appris. Elle dit : « Madame, je vais prendre votre tête, car j'ai besoin de regarder l'état de votre cou », et elle prend la tête ; « Je vais vous prendre la main », et elle prend la main ; « Je vais changer votre pansement maintenant », etc. Il y a ce postulat : au-delà de ce que je peux voir, je sais que la personne est là, présente, vivante, même si elle n'est pas réactive.

Sur quoi est fondé ce postulat ?

Sur des études qui ont été faites avec des gens sortis d'un coma profond. Ils témoignent de leurs ressentis, qui leur permettaient de faire nettement la différence entre un toucher mécanique et un toucher aimant, de capter l'ambiance autour d'eux, d'éprouver une frustration de ne pas pouvoir répondre aux conversations qu'ils percevaient, etc. Sur cette base, on a ajusté un certain nombre de choses dans l'approche destinée aux personnes en coma ou souffrant d'altérations de la conscience.

Avez-vous été témoin de phénomènes particuliers au moment du décès ?

Une expérience m'a vraiment marqué. J'étais en train de parler avec une dame en fin de vie, fatiguée, mais qui avait toute sa tête. J'étais assis sur son lit et elle était assise en face de moi. Elle me disait qu'elle s'inquiétait pour ses proches. C'était une discussion assez habituelle. Et à la fin de la conversation, elle me dit : « Écoutez, vous me trouvez lucide ? – Oui. – Je ne suis pas folle, n'est-ce pas ? – Non, pas du tout ! – Eh bien, il faut que je vous dise : je perçois mon mari, qui est au bout du lit, là. » Et elle pointe le doigt dans cette direction. Je me retourne pour regarder, et je lui réponds : « D'accord. Moi, je ne le perçois pas. » C'est important de se positionner en toute clarté : on nous recommande de ne pas aller dans le sens de quelque chose qui n'est pas notre réalité à nous. Mais comme dans cette maison on est habitué à ce genre d'expériences, je lui demande : « Vous le percevez comment ? Il vous parle, il vous dit quelque chose ? – Un peu flou, il ne parle pas, il est juste là, comme s'il m'attendait. – Est-ce que ça vous inquiète ? – Non non, pas du tout ! » Elle était très tranquille, elle voulait simplement me dire que cette présence était là. Elle est morte deux, trois jours après.

Ce type d'événements est-il fréquent ?

Fréquent et caractéristique, parce que c'était vraiment une personne très consciente. J'avais une conversation avec elle, et il n'y avait aucun signe de confusion mentale au sens médical du terme. On observe vraiment beaucoup de choses troublantes. Par exemple, un soignant m'a raconté ceci : un corps avait été mis à la morgue, un peu plus tard il a dû y retourner et il a perçu une sorte de halo lumineux, comme une fumée en train de se dissiper autour de la personne… Enfin, c'est un constat : les gens racontent des choses dans un contexte qui est celui de la fin de vie, avec toujours des proches décédés qui entrent en contact d'une façon ou d'une autre avec eux. Ces expériences apportent quasiment toujours une forme d'apaisement, de certitude : « On vient me chercher. » Cependant, d'après mon expérience, ce n'est pas la majorité des gens qui vivent cela – mais peut-être aussi que beaucoup le vivent sans pour autant en parler, ou bien au contraire ils ont tellement intégré ce type de contacts qu'ils ne pensent même pas qu'une chose extraordinaire est en train de se passer. Je ne sais pas ce qui se passe, une chose est certaine : ces phénomènes sont décrits de façon récurrente.

Comment se fait-il que malgré les témoignages de gens comme vous ayant un rapport quotidien avec ce type de phénomènes, on soit encore dans le déni de ces expériences ?

On est dans une société où l'irrationnel n'a pas bonne presse. Tous les gens qui cherchent à se rassurer sur leur propre normalité vont s'empresser d'affirmer à quel point ils sont « cartésiens » ! Comme si c'était l'alpha et l'oméga de la bonne santé psychique que d'être très cartésien. Donc, si on est très cartésien, tout ce qui ne peut pas trouver d'explication va être considéré comme louche, interprétatif, ni fiable ni sérieux. Comme on est dans un contexte médical où l'on prend soin de gens, avec des procédures, il y a peut-être une sorte de peur de se voir taxé de « non professionnel », de se discréditer en racontant ces choses. Le risque du ridicule, de voir remise en question la qualité de son travail, génère des craintes – qui sont parfois légitimes. Car le risque existe aussi que quelqu'un de très versé là-dedans devienne prosélyte dans sa façon de parler auprès des personnes en fin de vie, assénant son discours à des gens qui n'ont pas du tout envie d'entendre ça.

Y a-t-il un conseil que vous donneriez à quelqu'un qui accompagne un mourant ?

Une autre expérience m'a marqué quand j'étais plus jeune, c'est une histoire que je raconte dans un de mes livres[1]. Un soir d'automne à la Salpêtrière, un jeune garçon était en train de mourir seul dans sa chambre, inconscient. Dans la pièce de repos destinée aux patients du service, sa famille attendait, assise. Ils n'osaient pas entrer, ils avaient peur, ne savaient que faire. Je me suis approché de la sœur de ce garçon, nous avons commencé à parler. Je lui ai demandé ce qu'elle aurait besoin de dire à son frère aujourd'hui s'il était toujours conscient. Alors, elle a parlé de sa douleur, de ses regrets, de son amour, et de son admiration pour lui qui avait montré tant de courage au cours de la maladie. « Pourquoi ne pas le lui dire maintenant ? »

---

1. Christophe Fauré, *Vivre le deuil au jour le jour*, Albin Michel, 2012.

lui ai-je demandé. Elle m'a regardé, étonnée, presque choquée que je puisse lui suggérer cela. Je lui ai parlé de l'importance de telles paroles. Ses parents écoutaient, toujours silencieux. Finalement elle s'est levée, est entrée dans la chambre. Elle s'est assise tout près de son frère et a commencé à lui parler doucement à l'oreille. Une seule fois elle a levé les yeux vers moi : « Vous êtes sûr qu'il m'entend ? » Je lui ai répondu que je n'en savais rien, mais que je croyais important qu'elle le fasse. Quelques instants plus tard, la mère est entrée elle aussi et a pris la place de sa fille pour parler à son fils une dernière fois. Puis ce fut le tour du père, et des autres frères. Tous se sont retrouvés enfin dans la chambre. Ils ont apporté des chaises de la salle de repos, et ont veillé leur parent toute la nuit. Ils semblaient apaisés d'avoir pu lui parler. Il est mort au petit matin.

Tous les soignants en soins palliatifs recommandent de dire ces paroles d'amour, de pardon, de gratitude… même aux personnes « inconscientes », même au seuil de leur mort. Car si on n'a pas pu le faire avant, quand on a la chance, car c'est une chance, de pouvoir accompagner le mourant (à la différence de situations où la mort est accidentelle, brutale, et où on n'a pas le temps de dire les choses), j'ai l'intime conviction que les personnes entendent, même inconscientes. Et j'ai même l'intime conviction qu'il peut être important de continuer à parler à une personne au seuil de son dernier souffle.

Avez-vous d'autres exemples qui nourrissent cette conviction ?

Combien de fois on nous a parlé de gens qui étaient dans le coma, qui devaient mourir, mais ne mouraient pas !

Les soignants se demandaient : « Qu'est-ce qui le retient ? Qu'est-ce qui n'est pas réglé ? Qui est-ce que cette personne attend ? » Je me souviens très clairement d'une dame mourante dont le fils était en Australie. Il lui avait dit qu'il arrivait bientôt, mais il avait eu des imprévus, des problèmes d'avion, et il avait vingt-quatre heures de retard. Quand il rentre dans la chambre, il dit tout de suite : « Maman, je suis là. Tu peux y aller maintenant, tout va bien se passer, je suis en sécurité, ne t'inquiète pas, tu peux partir si tu veux. » Un quart d'heure après, elle était morte. Et ça n'est pas un cas isolé : il y a des centaines d'histoires de gens qui attendent une parole, ou la présence d'un proche, et qui restent en vie comme s'ils s'inquiétaient du fait que leur départ va être impossible pour leur conjoint ou leurs enfants. Combien de fois a-t-on entendu des époux, des épouses prononcer une parole libératrice : « Tu peux y aller, je vais m'en sortir avec les enfants, nous continuerons à t'aimer, mais si tu veux, tu peux vraiment partir maintenant. » ? Et les gens mouraient dans l'heure, parfois dans les minutes qui suivaient.

Savoir cela, et pouvoir garder en soi le souvenir de ce qu'on a dit, est très important. Parmi les personnes en deuil que j'accompagne, celles qui ont pu dire ce genre de choses sont apaisées. C'est comme si elles avaient concédé le départ de l'être aimé, au lieu que la mort soit venue le leur retirer. Et c'est très différent. D'où l'importance, effectivement, de pouvoir être là. Mais si on ne peut pas être là, comment faire ? On peut conseiller de dire tout ce qu'on a à dire avant, en supposant que l'on ne pourra peut-être pas être présent au moment de la mort. Bien sûr qu'il est souhaitable d'être présent, de pouvoir dire qu'on a accompagné jusqu'au bout, mais parfois ce n'est pas possible. Mon conseil : dites les choses importantes sans les remettre à plus tard, car plus tard ce sera peut-être trop tard.

Alors, aller voir un médium lorsque l'on traverse un deuil, c'est recommandé ou pas ?

D'abord, soyons clairs, je ne recommande jamais à mes patients d'aller voir un médium. Néanmoins, je constate que les personnes ayant perdu un proche manifestent parfois le besoin d'aller voir quelqu'un qui prétend communiquer avec l'au-delà. Et cela pour diverses raisons. Certains sont juste curieux et se disent : « Je n'y crois pas mais je veux voir. » D'autres ont la conviction qu'il existe une vie après la mort, ils veulent alors savoir si le défunt va bien, s'il est à leur côté ou s'il ne leur en veut pas, s'il leur a pardonné quelque chose qui les ferait culpabiliser. Ces patients – qui, bien sûr, m'avouent toujours après coup avoir été voir un médium ! – me disent soit que cette consultation les a rassurés ou apaisés, soit que cela ne leur a rien apporté mais qu'ils avaient à ce moment-là besoin d'y aller. En tout cas, même si certaines personnes peuvent y trouver une certaine forme d'apaisement, cela ne va jamais, en aucun cas – et j'insiste là-dessus –, raccourcir le processus de deuil qui a sa logique propre. Ce processus est une blessure psychique qui va cicatriser avec le temps. Et, pour y parvenir, différentes étapes sont nécessaires. Il ne s'agit pas seulement de soulager sa souffrance mais aussi de réussir à vivre avec cette solitude créée par l'absence de ce proche. Comme la difficulté à renouer des liens sociaux, le manque de partage au quotidien, de projets communs.

Quand mes patients me demandent, avant de le faire, s'ils est bon qu'ils aillent voir un médium, je leur réponds que je ne sais pas, et qu'il n'y a qu'eux qui sont en mesure de savoir si c'est bien pour eux ou pas. Je les invite alors à exprimer leur motivation : « Pourquoi aller voir un médium ? Qu'est-ce que vous en attendez ? S'il y a un contact, quelle incidence pensez-vous que ça puisse avoir pour vous ? » J'explore leur quête et leurs attentes par rapport à cette proposition. Plutôt que de conseiller de voir ou de ne pas voir un médium, j'interroge seulement le désir de la personne en deuil afin de lui permettre de se rendre compte par elle-même si son désir est fondé ou au contraire si elle en attend des choses inatteignables.

Aller voir un médium, c'est aller voir quelqu'un qui prétend communiquer avec un défunt. Le doute doit-il toujours faire partie de la consultation ?

Dans mon expérience, même si tous les gens ne me disent pas qu'ils vont voir un médium, et hormis les cas d'addiction, j'observe toujours cette composante protectrice de doute. Oui, le doute est salutaire, il aide à ne pas adhérer aveuglément à ce qui est dit. Souvent les gens se demandent s'ils n'ont pas suggéré certaines réponses, ou s'il n'y a pas un peu de télépathie, de mentalisme, ce doute est une protection psychique face à une parole en définitive très arbitraire.

Pour entrer un peu dans le détail, le processus de deuil a pour fonction psychique de transformer une relation extérieure objective en une relation *introjectée* avec la personne défunte. « Introjecté », cela signifie que la présence de la personne défunte devient intérieure. Lorsque à travers une séance le médium évoque la persistance de la conscience du défunt à l'extérieur, pour certaines personnes cela cristallise une présence de ce défunt à leur côté. Mais cette présence est artificielle. Attention, je ne porte pas de jugement sur l'existence ou non d'une vie après la mort, ce n'est pas ça qui est en cause ici, mais objectivement, le défunt n'est plus parmi nous au quotidien, et l'y maintenir par la répétition de consultations avec des médiums, c'est aussi quelque part ne pas accepter la réalité de sa mort. Et ce mécanisme vient s'opposer à l'introjection, qui est le mouvement normal du processus de deuil.

Je le redis, cela n'est pas en opposition, au contraire même, avec le fait que la personne défunte puisse continuer d'exister dans un ailleurs. Mais cette supposée existence peut faire obstacle au mécanisme consistant à laisser s'élaborer une nouvelle relation intérieure avec la personne défunte, ce qui est une des finalités du processus de deuil. Quoi qu'il se passe dans une séance avec un médium, que le défunt soit vivant *quelque part* ou non importe peu, il n'est plus dans une relation extérieure objective. On ne le voit plus, on ne le touche plus. La relation est devenue subjective. Si la personne en deuil, à travers ce que lui dit le médium, continue de considérer que finalement rien n'a changé et que le défunt est *toujours là comme avant*, qu'elle est en mesure de lui rendre visite comme on va voir une voisine ou une grand-mère, cela n'aide pas sur le long terme. Aussi la consultation d'un médium peut tout autant accompagner le processus de deuil que le gêner, cela va vraiment dépendre de ce que l'on en attend. Elle sera bénéfique si l'expérience conduit la personne en deuil à envisager l'hypothèse qu'il y ait une continuité de la conscience et que cette hypothèse l'apaise : « On n'est pas séparés à tout jamais mais moi j'ai mon chemin à faire et notamment mon chemin de deuil. » Ce n'est pas antinomique.

Le deuil est un processus émotionnel, et je n'ai jamais entendu quelqu'un me dire qu'être allé voir un médium ait eu une incidence radicale et définitive sur sa souffrance. Parce que concrètement la personne défunte n'est plus là. Même si l'on adhère à l'idée qu'elle puisse continuer à vivre ailleurs, au quotidien mon compagnon, ma compagne, mon enfant, mes parents ne sont plus là. C'est les vacances tout seul, les week-ends sans lui ou elle. Concrètement cette personne défunte n'est plus dans mon monde et mon processus de deuil est précisément ma réponse à cette blessure, à cette amputation qui a été causée par la perte.

J'entends parfois des gens me dire, étonnés : « Je suis allé voir un médium, je crois à ce qu'il m'a dit, mais je souffre toujours. » Eh bien oui, c'est normal. Aller voir un médium avec l'idée que je ne vais plus souffrir parce que je vais savoir que mon défunt existe ailleurs est illusoire. Ça ne change pas la souffrance de l'absence au quotidien, le fait de devoir vivre sa vie, construire, réinvestir des projets. C'est pour cela que je questionne mes patients sur leurs attentes quand ils me font part de leur envie d'aller voir un médium. Lorsqu'ils me disent : « S'il y a quelque chose après, je vais arrêter de souffrir », eh bien non. Même si la séance débouche sur un contact et que vous avez la conviction qu'il y a continuité de la vie, quelque chose a été rompu. Le lien objectif dans le réel a été cassé et le processus de deuil consiste simplement en la cicatrisation de cette blessure béante, sinon vous ne pouvez pas tenir psychiquement.

Alors en quoi la consultation d'un médium peut être positive si ce n'est pas ce qui va faire cesser la souffrance ?

En ce qu'elle peut conduire à considérer l'hypothèse qu'il y ait une continuité de conscience après la mort. Cela induit que la séparation n'est pas définitive, la rupture du lien n'est pas irrémédiable. Ce peut être une façon, pour certaines personnes, de rendre plus acceptable cette souffrance de la séparation puisqu'elle aura une fin quand, lors de leur propre mort, elles retrouveront la personne défunte. Pour le psychiatre que je suis, ici j'ai toujours la crainte qu'après de tels contacts les gens veuillent accélérer leur mort pour retrouver leur proche. C'est toujours compliqué à gérer ces choses-là, pourtant je suis toujours étonné par les messages transmis lors de ces supposés contacts. Par exemple, j'ai entendu plus d'une fois des gens me rapporter que lors de leur contact avec la personne décédée, elle leur avait dit : « Si tu te tues, tu ne me retrouveras pas. » J'adore entendre ça parce que même si mes arguments de psy pour inciter les gens à ne pas vouloir mourir et à vivre leur vie ont leur force, ce n'est pas celle qu'attribuent ces personnes en deuil à une parole supposée de la personne disparue.

Alors, oui, l'idée que l'on va se retrouver plus tard est une croyance, mais nous vivons tous avec une multitude de croyances. Quelqu'un va vivre avec la croyance qu'il est nul, qu'il n'est pas à la hauteur, qu'il n'est pas digne d'être aimé, et vivre toute sa vie avec cette croyance-là est hyperdangereux psychiquement. Il y a des gens qui vont vivre sur la croyance que jamais ils n'auront du succès dans la vie, qu'ils ne sont pas intéressants. Tout cela ne relève que de croyances et on y adhère massivement sans les remettre en question. On vit avec. Penser qu'il y ait une vie après la mort est une croyance et le fait que j'y adhère ou non a des conséquences sur mon comportement. Si je suis convaincu de la continuité de la conscience, il se peut que cette croyance conduise certaines personnes à considérer que leurs actes, leurs actions dans le monde ne sont pas complètement vides de sens. C'est le pari de Pascal : s'il y a quelque chose après, autant poser les actes bénéfiques qui auront une continuité après la mort. C'est assez sensé.

La croyance en une vie après la mort peut-elle nous rendre plus fragiles ?

Pour moi, le seul danger est celui de l'addiction. Le processus de deuil peut ne pas être parasité s'il n'y a pas d'obsession du lien. Mais en effet, certaines personnes en viennent à consulter tous les médiums possibles, et sont à l'affût du moindre signe. Cela peut s'avérer très délétère. D'abord parce qu'on dépense beaucoup d'énergie pour tenter de rétablir des liens qu'on a perdus. Ensuite parce qu'en essayant de pérenniser une relation extérieure comme si la personne était encore présente, on bloque le bon déroulement du processus de deuil qui consiste au contraire, comme je l'ai dit, à intérioriser ce lien pour continuer à vivre sa propre vie sans ce proche disparu. La multiplication d'hypothétiques contacts avec un défunt peut clairement empêcher la personne en deuil d'avancer et réinvestir sa vie. Elle n'est plus ancrée dans la réalité. D'ailleurs, les médiums de qualité refusent cette régularité, et n'acceptent qu'une voire deux consultations par an au maximum avec une même personne. C'est même, je dirais, un gage d'honnêteté.

Quelle serait la bonne attitude à adopter face à un médium ?

Déjà, être conscient de l'état d'esprit dans lequel on est. Se voir tel que l'on est : chargé d'énormes attentes et lucide sur le fait que cela biaise énormément ce qui va nous être dit. Deuxièmement, avoir conscience que l'on est face à un être humain qui, même s'il prétend être en contact avec l'au-delà, va être un filtre. Donc, qu'il y ait ou non contact, ce filtre va apparaître dans ce qui est dit. La subjectivité du médium, ses blessures, ses propres croyances vont être présentes. Aussi faut-il que je fasse attention à ne pas prendre pour objectif ce que je reçois de subjectif par l'intermédiaire de cette personne au prétexte qu'elle se dit « traversée » par quelque chose. Parce que ce n'est pas moi qui ai le contact direct, c'est quelqu'un d'autre, avec tout ce que cela peut comporter d'arbitraire.

Oui, être conscient de ses attentes, de sa vulnérabilité, de son désir de croire que l'on va recevoir un vrai message de son frère, de sa mère, de son compagnon. Savoir que l'on est en situation de perte d'objectivité et que les informations qui nous parviennent n'entrent pas dans le territoire de protection habituel.

Pouvez-vous revenir sur la notion d'addiction dans la relation qu'entretiennent certaines personnes avec les médiums ?

S'il y a contact effectif avec l'au-delà, et si l'au-delà existe, on peut imaginer que les défunts ont autre chose à faire que d'être sans cesse sollicités par la personne en deuil.

Cela doit fortement les perturber et empêcher leur développement personnel. Je prends souvent l'exemple d'un enfant qui va partir étudier à l'autre bout du monde et que sa mère va, toutes les cinq minutes, vouloir contacter par téléphone, par mail, ou par texto : il sera alors impossible à l'enfant de vivre sereinement et de grandir. C'est cette image-là que j'essaie de véhiculer. Si cette obsession perdure, il faut envisager un travail psychologique sur l'attachement. On est alors sur un profil d'addiction et l'on essaye, comme pour toute addiction, d'en faire prendre conscience à la personne. Si elle vous dit que ça lui fait du bien, c'est un peu comme celle qui affirme que boire la détend mais que non, elle n'est pas alcoolique, elle boit juste deux bouteilles de vin et ça la désangoisse. Comment aider une personne à se désengager d'un lien toxique qu'elle perçoit, elle, comme quelque chose de bénéfique ? La personne se situe sur un champ émotionnel, il faut donc essayer de l'amener au niveau mental, cognitif, avec des mots, et lui montrer que cette addiction est délétère par rapport au déroulement harmonieux de son processus de deuil. Même si son addiction l'aide à un niveau, ça la maintient coincée dans une étape du processus dont la poursuite est sans cesse différée.

Mais la présence des défunts dans un autre monde est une réalité pour des milliards d'êtres humains et ce depuis des millénaires. Le processus de deuil consistant à ne plus considérer un proche défunt comme extérieur n'est-il pas une vision laïque arbitraire ?

Non, les deux notions ne sont pas incompatibles. On parle d'un processus psychologique de deuil qui nous aide à restaurer le lien extérieur et objectif qui a été rompu. Cela se fait à travers le lent processus d'introjection du lien qui nous conduit à sentir que l'on porte la personne en soi. Les gens disent : « Il est en moi », c'est ça le processus psychologique de deuil et ce n'est pas du tout antinomique avec l'existence dans le même temps d'une autre dimension plus spirituelle. Le processus de deuil est un mécanisme psychologique. Comment on tient le coup ? Il a pour fonction d'apaiser la souffrance en remplaçant un vécu de séparation par un vécu de présence intime. Ce lien intérieur et intime n'est pas du tout incompatible avec une éventuelle connexion à une autre dimension. Ce sentiment subjectif qui se construit dans le deuil et ce lien spirituel, ce sont les mêmes territoires.

ANNEXE

Vous désirez consulter un médium, soyez vigilant !

Toute personne en deuil et désireuse de tenter l'expérience doit respecter certaines règles pour se protéger et se prémunir contre des abus susceptibles d'occasionner des souffrances supplémentaires dans une période où elle est déjà fragilisée par le deuil.

1. Afin de réduire la probabilité que l'individu se présentant comme un médium ne puise les informations dans la psyché de la personne en deuil plutôt que dans l'au-delà, le consultant ne devra fournir aucun élément sur le défunt, pas même le nom, le sexe ou l'âge, ni le lien de parenté. Il dira simplement au médium qu'il souhaite obtenir des informations sur une personne décédée. Un médium confiant, convaincu de pouvoir réellement communiquer avec les défunts, n'aura pas besoin de davantage de renseignements. Il sera persuadé que le défunt entrera en contact avec lui pour lui transmettre toutes les informations utiles. Une photo peut toutefois être nécessaire à certains médiums pour faciliter la connexion. Aucun autre élément ne doit vous être demandé.

2. Une fois le contact avec le défunt apparemment établi, le médium dira qu'il a reçu un message qu'il souhaite préciser ou voir validé par la personne qui le consulte : « Que signifie cela ? Pourquoi le défunt me montre ceci ? » Là encore, le consultant doit

donner un minimum d'informations, en répondant par exemple qu'il comprend ou ne comprend pas le message, sans dévoiler au médium les symboles ou références qu'il aurait reconnus.

3. Le consultant peut répondre sans risque, uniquement à la question suivante : avec ce que je vous ai dit jusqu'à présent, vous semble-t-il que j'ai été contacté par la personne dont vous souhaitiez des nouvelles ? La réponse se résumera à un simple oui ou non, sans explication supplémentaire.

Donc, si vous désirez voir un médium, donnez aussi peu d'informations que possible. Lorsque vous prenez rendez-vous, ne donnez pas votre nom de famille. Fournissez le minimum d'éléments lors de la séance et vous verrez bien s'il essaye de lire en vous pour trouver des indications ou s'il vous rapporte des informations si générales qu'elles pourraient s'appliquer à n'importe qui. Pensez aux déductions logiques auxquelles le médium peut parvenir simplement en vous regardant, en regardant la ou les photos du ou des défunts que vous aurez apportées ou en vous écoutant, et gardez-les en tête afin de ne pas être impressionné par de prétendues révélations.

Rappelez-vous que le deuil modifie notre perception de la réalité à tous les niveaux. Notre besoin de contacter le défunt est si fort que nous avons tendance à penser qu'il y a communication même lorsque le médium n'est pas authentique. Protégez-vous psychologiquement, utilisez cette expérience de façon constructive, elle peut vous aider. Parlez de ce que le médium vous a dit en famille ou à une tierce personne à l'esprit ouvert (un thérapeute, un psychologue, etc.). Enfin, vos actes ne doivent pas dépendre de ce que vous aura rapporté un médium.

REMERCIEMENTS

Ce livre a été avant tout possible grâce à la participation des médiums qui m'ont fait confiance, malgré le stress de l'épreuve que je leur ai imposée. Je tiens à leur exprimer mon immense gratitude pour avoir accepté de se mettre à nu comme ils l'ont fait.

Ce livre aurait également été impossible sans l'implication de mon père qui depuis *ailleurs* a fait l'effort d'y collaborer, sans doute habité par l'espoir, comme moi, que ces pages puissent apporter un peu d'apaisement aux personnes qui, comme lui de son vivant, appréhendent la mort.

Merci aux autres défunts, Louis, Lise, Paul et tous ceux, connus ou inconnus de moi, qui sont intervenus dans cette aventure.

Merci aussi à ma mère Claude et à mon frère Simon de permettre que soient révélés dans ces pages des détails parfois intimes sur notre famille, dans le but d'éclairer plus nettement la façon dont se déroule une séance de médiumnité.

Merci à mon ami Christophe Fauré pour qui j'ai une immense admiration. Avec un cœur énorme et un professionnalisme incroyable, Christophe aide un nombre important de gens à mieux vivre les petites et grandes épreuves de leur vie. En consultation ou à travers ses livres, Christophe est un homme bien.

Merci à Sébastien Lilli, mon partenaire de toujours à l'INREES, et actuel président de cet institut que nous avons bâti ensemble. En prenant pleinement les rênes de cette aventure, et de main de maître, tu m'as permis d'avoir le temps de faire ce livre.

Merci à tous les salariés, les journalistes et les bénévoles de l'INREES sans qui cette aventure n'aurait pas été possible. Ceux de la première heure et ceux qui nous ont rejoints aujourd'hui. Nous formons une étonnante famille, et je ressens une immense fierté de travailler avec vous.

Merci à Agnès Delevingne qui depuis des années porte et anime le réseau des psychologues bénévoles de l'INREES. Son énergie et son talent permettent aujourd'hui à celles et ceux qui traversent parfois des expériences compliquées de trouver gratuitement un soutien et une écoute attentive.

Merci également aux femmes et aux hommes, membres bénévoles du réseau des professionnels de santé de l'INREES, qui ne comptent pas leur temps et leur énergie. Vous faites un travail pionnier à l'importance considérable. Votre dévouement est une source d'admiration pour moi.

Merci à mon éditeur, Marc de Smedt, d'avoir si fortement cru en ce livre, et d'en avoir accompagné la conception. Sentir ta confiance et ton enthousiasme m'a porté.

Merci aux éditions Albin Michel et à son président Francis Esménard de m'avoir renouvelé sa confiance pour notre troisième livre ensemble. Chaque livre est important pour un auteur, et sentir une maison prestigieuse défendre de si belle manière son travail est inestimable.

Merci à Marie-Pierre Coste-Billon qui m'accompagne avec beaucoup de délicatesse et de professionnalisme depuis mon arrivée chez Albin Michel. Curieux clin d'œil de la vie : Marie-Pierre fut une élève de mon père en hypokhâgne.

Merci à Hélène Ibanez qui a corrigé ce manuscrit avec un incroyable talent et un respect extraordinaire, débusquant mes coquilles et nombreuses fautes d'orthographes, et dont les suggestions ont été indispensables.

Je ne serais pas l'homme que je suis devenu sans ma femme Natacha Calestrémé. Nous partageons notre existence depuis de nombreuses années, et grandir ensemble est une source profonde de joie et d'épanouissement. Nous sommes déjà un peu un tous les deux. Merci de ta patience et de ta bienveillance de chaque instant.

Merci à toi, ma fille, Luna, que j'aime plus que tout au monde. Tu as sans doute eu parfois le sentiment que ton père était un peu trop impliqué dans son travail, et je veux te remercier aujourd'hui de ta gentillesse et de ton respect. Tu es une femme que j'admire profondément. Ce livre est pour toi plus que pour tout autre.

Je veux terminer en remerciant du fond du cœur Véronique Dimicoli qui m'a assisté tout au long de la phase de test et d'interview. Avec un professionnalisme, une disponibilité et une gentillesse sans pareille, Véronique m'a aidé en retranscrivant des dizaines d'heures d'enregistrement et en me faisant part de ses interrogations toujours pertinentes. Ton aide a été considérable. Merci, Véronique.

Table

Pour aller plus loin ou écrire à l'auteur rendez-vous sur :
www.inrees.com

Stéphane Allix est le fondateur de l'INREES, l'Institut de Recherche sur les expériences extraordinaires, qui se penche avec sérieux sur ces sujets que nous qualifions de *surnaturels*. En ces temps où des champs nouveaux de connaissances émergent, l'INREES offre ainsi un cadre pour parler de science et de spiritualité, des dernières recherches sur la conscience, de la vie, de la mort, et rapprocher de manière scientifique et rigoureuse le monde visible du monde invisible. Sans tabou, sans préjugé, avec rigueur et ouverture.

Le site www.inrees.com est aujourd'hui le plus vaste espace Internet d'information rassemblant toutes les références scientifiques disponibles sur ces questions, des articles inédits, des vidéos et toute l'actu de l'extraordinaire. Parce qu'il est possible de s'intéresser à ces expériences que nous n'arrivons pas à expliquer tout en conservant les deux pieds sur terre.

Stéphane Allix a également fondé *Inexploré*, un magazine de référence à destination du grand public, aux frontières de la psychologie, de la spiritualité et des sciences. Disponible en kiosque ou sur abonnement (consulter www.inrees.com).

Composition IGS-CP
Éditions Albin Michel
22, rue Huyghens, 75014 Paris
www.albin-michel.fr
ISBN : 978-2-226-31908-1
N° d'édition : 21796/01
Dépôt légal : novembre 2015
Imprimé au Canada chez Marquis imprimeur inc.